LISBONNE

EN QUELQUES JOURS

KERRY WALKER

Lisbonne en quelques jours
1re édition, traduit de l'ouvrage *Lisbon Encounter (1st edition), January 2009*

Traduction française :
© Lonely Planet 2009,

12 avenue d'Italie, 75627 Paris cedex 13
☎ 01 44 16 05 00
bip@lonelyplanet.fr
www.lonelyplanet.fr

Dépôt légal : Mai 2009
ISBN 978-2-84070-861-2

Responsable éditorial Didier Férat
Coordination éditoriale Dominique Spaety
Coordination graphique Jean-Noël Doan
Maquette Laurence Tixier
Cartographie Caroline Sahanouk
Couverture Jean-Noël Doan et Pauline Requier
Traduction Hélène Demazure
Merci à Françoise Blondel pour son travail sur le texte

Imprimé par L.E.G.O. Spa
(Legatoria Editoriale Giovanni Olivotto)
Imprimé en Italie
Réimpression 02, juin 2010

COMMENT UTILISER CE GUIDE

Codes couleur et cartes

Des symboles de couleur représentant les sites et les établissements figurent dans les chapitres et sont reportés sur les cartes correspondantes afin de les localiser rapidement. Les restaurants, par exemple, sont indiqués par une fourchette verte.

À chaque quartier correspond aussi une couleur spécifique, reprise dans les onglets du chapitre qui lui est consacré.

Les zones en jaune sur les cartes désignent des "secteurs dignes d'intérêt" (sur le plan historique ou architectural, ou encore en raison de la présence de bars et de restaurants, etc.). Nous vous conseillons vivement de les explorer.

Prix

Les différents prix (par exemple 10/5 € ou 10/5/20 €) correspondent aux tarifs adulte/enfant et normal/réduit/enfant.

Vos réactions ? Vos commentaires nous sont très précieux et nous permettent d'améliorer constamment nos guides. Notre équipe lit toutes vos lettres avec la plus grande attention et prend en compte vos remarques pour les prochaines mises à jour.

Pour nous faire part de vos réactions, prendre connaissance de notre catalogue et vous abonner à Comète, notre lettre d'information, consultez notre site web : **www.lonelyplanet.fr**

Nous reprenons parfois des extraits de notre courrier pour les publier dans nos produits, guides ou sites web. Si vous ne souhaitez pas que vos commentaires soient repris ou que votre nom apparaisse, merci de nous le préciser. Pour connaître notre politique en matière de confidentialité, connectez-vous à :
www.lonelyplanet.fr/confidentialite/index.cfm

KERRY WALKER

L'histoire d'amour de Kerry avec le Portugal a commencé à l'âge de 11 ans, lorsqu'elle a décidé d'escalader les falaises de l'Algarve – *seule*. Revenue dans le pays des années plus tard, elle a eu le coup de foudre pour Lisbonne, sa lumière, ses *pastéis* (tartelettes) croustillantes, le dédale de ruelles de l'Alfama et la tournée des bars du Bairro Alto. Kerry a étudié la traduction portugaise dans le cadre de sa maîtrise, à l'université de Westminster. Née dans l'Essex et installée en Forêt-Noire, en Allemagne, elle adore la marche, une passion qui l'a conduite dans une quarantaine de pays et lui a inspiré de nombreux articles, des guides sur Internet et une quinzaine de livres de voyage, notamment le guide *Portugal* de Lonely Planet.

REMERCIEMENTS

Un grand merci à mon fiancé, âme sœur et compagnon de voyage Andy Christiani. *Muito obrigada* à Rafael Vieira pour ses précieux conseils et à Nuno Ramos, ambassadeur de CouchSurfing. Je remercie sincèrement Carmo Botelho, à Turismo de Lisboa, ainsi que Jorge Moita, Joana Amendoeira, Olivier, Alberto Bruno et Carlos Martins, qui m'ont fait découvrir la vie des Lisboètes. Enfin, un grand merci à Korina Miller pour m'avoir confié ce guide, sans oublier toute l'équipe de production de Lonely Planet.

PHOTOGRAPHE

Sa passion de la photo a conduit Paul Bernhardt dans des pays comme le Mexique, le Brésil, le Liban, l'Iran et le Mozambique. Après avoir débuté comme photographe de presse en Angleterre, où il couvrait les actualités et les sports, il est parti s'installer au Portugal il y a plus de dix ans, et se tourne désormais vers des sujets plus en rapport avec les voyages. Ses photos ont été publiées dans divers magazines, guides de voyages et journaux à travers le monde. Il ne se lasse jamais de photographier Lisbonne, sa ville d'adoption, et de redécouvrir ses habitants, sa culture et son histoire.

Photo de couverture : Art (Lounge/Discothèque), Avenida 24 de Julho 66 (voir p. 118), Guido Cozzi/Corbis. **Photos à l'intérieur** : p. 43, p. 74, p. 83, p. 105, p. 115 Kerry Walker ; p. 16 Andy Christiani ; p. 23 Imagestate Media Partners Limited – Impact Photos/Alamy. Autres photos de Lonely Planet Images et Paul Bernhardt excepté les suivantes : p. 13, p. 18, p. 22, p. 32, p. 69, p. 145 Greg Elms.

Un zeste de Paris dans le centre de Lisbonne – l'Elevador de Santa Justa (p. 54)

SOMMAIRE

OLÁ
Olá
MIGUEL
A BAIUCA

BIENVENUE À LISBONNE

Nichée au bord de l'Atlantique, Lisbonne baigne dans une lumière extraordinaire qui illumine le jaune vif des tramways, scintille sur le fleuve, frappe les tourelles manuélines dressées contre le ciel bleu de cobalt et pare le château d'or à la nuit tombée. Le monde tourne enfin les yeux vers l'étincelante capitale portugaise.

"Lisa", comme l'appellent ses habitants, est d'une beauté peu conventionnelle. Ses maisons pastel balafrées de tags, sa vie nocturne débridée font penser à La Havane, ses eaux bleues, ses tramways et son pont évoquent San Francisco, ses boutiques chics et ses docks réhabilités rappellent Londres, tandis que l'Alfama arbore un air de médina nord-africaine. Difficile de saisir l'esprit de Lisbonne : elle est unique.

Les Lisboètes présentent autant de facettes que leur ville. Lisbonne est belle, mais c'est sa personnalité qui vous séduira, son accueil, son énergie communicative et l'élément de surprise qui vous attend un peu partout.

Façonnée par une histoire mouvementée qui a vu passer les Romains, les explorateurs maritimes et la dictature de Salazar, influencée par ses anciennes colonies du Brésil, d'Asie et d'Afrique, Lisbonne forme une mosaïque culturelle, avec ses Portugais grisonnants et ses Angolais aux vêtements éclatants, ses bistros familiaux qui côtoient les bars à sushis, les vieux magasins de conserves de poisson et les boutiques de déco dernier cri.

Insoucieuse des modes et du temps, Lisbonne est ancrée dans le réel. Elle recèle des palais enchanteurs, des monastères classés et des galeries d'art contemporain, mais pour la vivre vraiment, explorez les ruelles de l'Alfama, laissez-vous emporter lors des fêtes de rue de Santa Catarina, initiez-vous à la prononciation du portugais et dégustez des *pastéis* (tartelettes crémeuses). Voyez la lumière, prenez un appareil photo, plongez dans l'action !

En haut Vendeur de glaces attendant le client sur la Praça do Comércio (p. 54) **En bas** L'ambiance conviviale et sympathique de A Baïuca (p. 73), dans l'Alfama

>LES INCONTOURNABLES

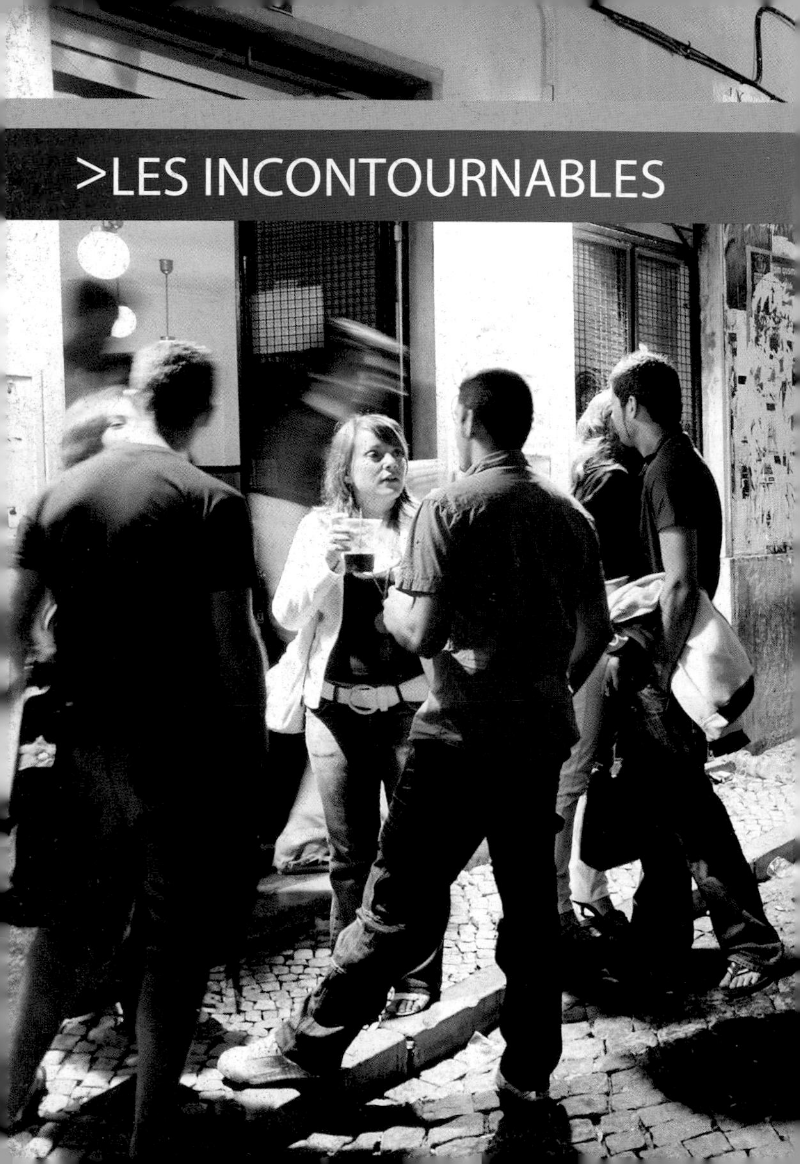

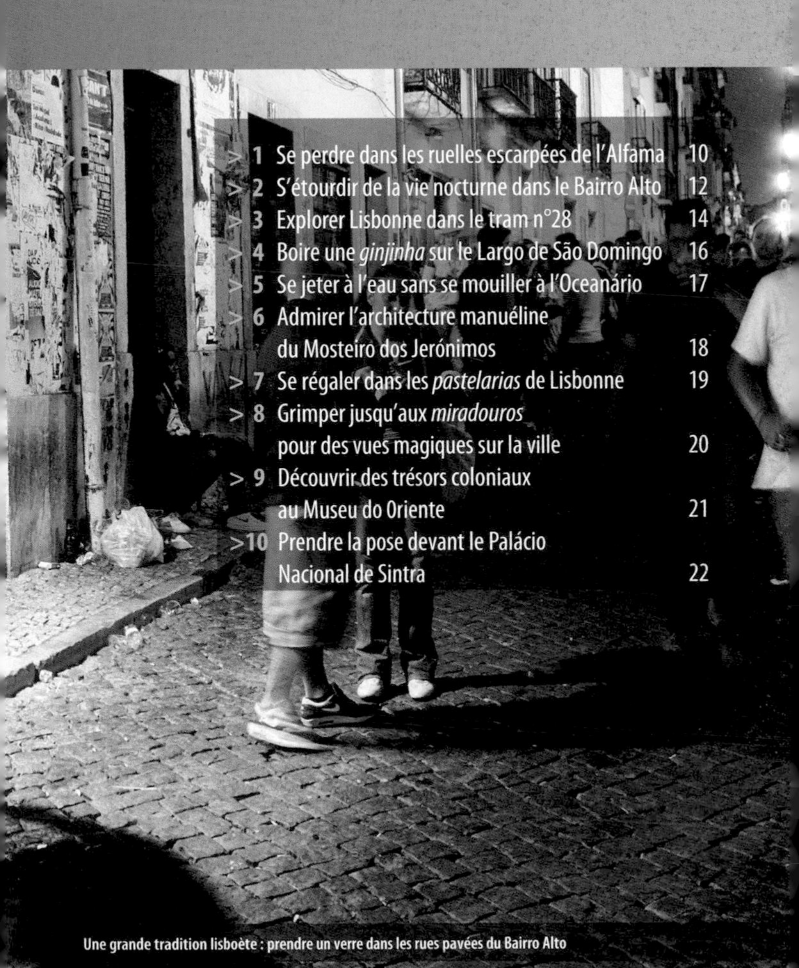

Une grande tradition lisboète : prendre un verre dans les rues pavées du Bairro Alto

>1 L'ALFAMA

SE PERDRE DANS L'ALFAMA DE STYLE MAURE

Si Lisbonne s'est en grande partie effondrée lors du tremblement de terre de 1755, l'Alfama aux allures de médina est resté intact grâce à ses fondations solides. Ses pavés ont été successivement foulés par les Romains, les Maures amateurs de bains qui lui donnèrent le nom d'*al-hamma* ("sources" en arabe) et les croisés qui prirent la ville en 1147. À votre tour de les arpenter.

Ranger votre carte pour flâner au hasard des rues empreintes de beauté où retentissent les conversations. Le cœur du quartier est sillonné de petites *travessas* (ruelles) taillées à flanc de colline et de *becos* (culs-de-sac) tortueux bordés de maisonnettes aux teintes citron et rose. Vous découvrirez dans le labyrinthe des allées, des vêtements en train de sécher, des femmes échangeant les derniers *mexericos* (ragots), des chapelles écrasées de soleil et des *praças* (places) où les fontaines gargouillent à l'ombre des palmiers. Partout, des points de vue s'ouvrent sur le Tage et sur le Castelo de São Jorge (p. 65) qui domine la ville.

Ne manquez pas l'Igreja de São Vicente da Fora (p. 65), avec son cloître revêtu d'*azulejos*, et l'insolite façade taillée en pointe de diamant de la Casa dos Bicos (p. 65), bâtie au XVIe siècle pour la famille d'Afonso de Albuquerque. Les briques couleur miel de la cathédrale romane Sé (p. 69) et le panorama depuis le Miradouro da Senhora

do Monte (p. 65) méritent une photo. Offrez-vous un déjeuner de sardines en plein air à la Porta d'Alfama (p. 72) en profitant de l'animation avant l'heure de la sieste.

Enchanteur le jour, l'Alfama dévoile son âme le soir, lorsque les accords du fado résonnent dans ce quartier qui l'a vu naître. Ces chants mélancoliques parlant de courses de taureaux, d'amants jaloux et d'époux perdus en mer saisissent l'esprit lisboète et sont l'expression de la *saudade* (nostalgie). Des *fadistas* professionnels attirent les foules dans les caves du Clube de Fado (p. 73), mais pour le *fado vadio* (fado amateur), essayez A Baïuca (p. 73). Assis dans un bar à fado délicieusement suranné, vous aurez l'impression que l'Alfama est un village et que vous faites partie de la *família*.

LES SONS DE L'ALFAMA

> Le grésillement des sardines en train de griller
> Les fados plaintifs entonnés par des matrones dodues
> L'écho des pas dans les allées mouchetées de soleil
> Le cliquetis du tramway n°28
> Le gloussement des jeunes filles, le miaulement des chats, le carillonnement des cloches et le bruissement des orangers

>2 LE BAIRRO ALTO

FAIRE LA TOURNÉE DES BARS DANS LE BAIRRO ALTO

Quand les jeunes hommes lisboètes disent à leurs grands-parents qu'ils vont au Bairro Alto, ils récoltent des regards désapprobateurs. Pendant des années, ce quartier ouvrier a été le lieu où l'on venait s'encanailler avec des filles faciles pour oublier le poids de la dictature de Salazar. Aujourd'hui, les belles de nuit ne rôdent plus dans les allées obscures, et les taudis couverts de tags se sont transformés en boutiques chics, galeries avant-gardistes, petits bistros et minuscules bars pleins de charme.

Le Bairro Alto est le caméléon de Lisbonne : morne et sans éclat le jour, il s'anime à la nuit tombée. Les lanternes s'allument, les volets s'ouvrent, une odeur d'ail s'échappe des cuisines en sous-sol, des fados sortent des restaurants populaires et les *taxistas* (chauffeurs de taxi) foncent à travers les ruelles étroites, forçant les piétons à faire un bond de côté pour les éviter. Une atmosphère de fête s'abat sur le quartier, l'occasion de passer encore une *noite en claro* (nuit blanche).

La tournée des bars commence au coucher du soleil dans le cadre branché du Noobai Café (p. 49), avec sa vue sur les lumières de Lisbonne. À minuit, l'animation bat son plein aux alentours de la Rua do Norte, de la Rua da Atalaia et de la Rua do Diário de Noticias, où les bars rivalisent de décibels à coups de merengue, de rock, de groove des années 1980 et de techno. Les clients se pressent au Portas Largas (p. 49) pour siroter une *caipirinha* avant d'aller danser au Frágil (p. 50), en face. Les jeunes prennent le chemin du Bicaense (p. 48), à Santa Catarina, ou du Ginjinha das Gáveas (p. 48), où les boissons bon marché et la musique attirent les étudiants.

L'EXPÉRIENCE DU BAIRRO

> Maudire les pavés à 10h du soir et les descendre en roulant à 6h du matin
> Renverser votre verre en plastique de Sagres ou de sangria sur vos nouveaux amis
> Envoyer promener les individus louches qui proposent haschich et fausses Rolex à chaque coin de rue
> Dire les mots magiques à 4h du matin : "On va au Lux ? "
> Combattre la gueule de bois avec un *bica* (expresso) et des *pastéis de nata* (tartelettes à la crème)

Plus tard dans la nuit, le Barrio Alto prend des airs de carnaval de Rio. La *festa* déborde dans les rues et chacun est invité à y participer. Comme les Lisboètes, allez dehors pour bavarder et boire avant d'aller écouter un concert matinal au Music Box (p. 50) ou d'enflammer la piste de danse du Lux (p. 75), au bord du fleuve. Pas étonnant que le Bairro Alto soit si éteint en journée : même les fêtards doivent se reposer...

3 LE TRAM N°28

EXPLORER LISBONNE DANS LE TRAM N°28

Le tram n°28, avec sa couleur jaune vif, ses chromes étincelants, et son intérieur bois, constitue l'attraction idéale. Mode de transport pittoresque, il rappellera de bons souvenirs à tous ceux qui se régalaient dans les parcs d'attractions. Le trajet de Campo Ourique à Martim Moniz offre 45 minutes de vues époustouflantes, de secousses et de montées extraordinairement raides.

Le tramway avance par à-coups, dans un sifflement de freins, alors qu'apparaissent la coupole rococo de la Basílica da Estrela (p. 112) et les palmiers du Jardim da Estrela (p. 112). Il emprunte les avenues arborées du riche quartier d'Estrela, d'où l'on aperçoit les eaux bleues du Tage, avant de marquer une brève halte sur la Praça Luís de Camões. Roulant lentement dans les rues de la Baixa, bordées de grandioses édifices élevés par le marquis de Pombal après le séisme de 1755, il s'arrête pour laisser monter des foules de passagers joyeux, qui viennent s'entasser à l'intérieur.

Cliquetant et vibrant, le tramway entame l'ascension jusqu'à l'Alfama, tandis que les passagers se penchent à la fenêtre pour photographier la Sé (p. 69). L'excitation monte alors que le tram grimpe la colline, prenant de la vitesse pour négocier les virages en épingle à cheveux. Une *senhora* (femme) traverse la rue – le tramway pile dans un crissement de freins, la manquant de justesse, les passagers soupirent de soulagement, le chauffeur les tranquillise d'un grand sourire.

Le tram ralentit et suit le Largo das Portas do Sol (p. 65) au sommet de la colline. Au-dessus s'élève la silhouette fortifiée du Castelo de São Jorge

DES MOMENTS INOUBLIABLES

> Ouvrir la fenêtre pour mieux voir et manquer percuter une lanterne en fer forgé – aïe !
> Entendre ce pathétique tintement de sonnette au lieu d'un grand coup de klaxon à l'approche du tram
> Voir les casse-cou s'accrocher aux portes : il y en a un près de vous…
> User de coups de coude, de *bom dias* et de vos pouvoirs de persuasion pour vous faufiler jusqu'à la fenêtre
> Photographier la Basílica da Estrela, la Sé, le Castelo de São Jorge et l'Alfama

(p. 65), tandis que plus bas s'étend l'Alfama, mosaïque de toits rouges et de maisons pastel. Le tram reprend de la vitesse et emprunte des rues étroites et escarpées jusqu'au Largo da Graça, où la plupart des passagers descendent pour visiter le cloître de l'Igreja de São Vicente da Fora (p. 65).

Du plaisir, de l'excitation et la découverte des grands sites en 45 minutes : qui dit mieux ? Pas étonnant que beaucoup n'aient qu'une envie : recommencer.

>4 A GINJINHA

BOIRE UNE GINJINJA SUR LE LARGO DE SÃO DOMINGO

Au crépuscule, quand la lumière s'adoucit, les Lisboètes se pressent devant le minuscule A Ginjinha (p. 60), un verre de *ginjinha* (liqueur de cerise) à la main. Une boisson pour femmelette, pensez-vous ? Détrompez-vous. Dans les années 1840, un moine du nom d'Espinheira eut l'idée de faire fermenter des cerises aigres *ginja* dans de l'alcool ; le résultat se laissa boire comme du petit lait. Depuis, le plus ancien bar à *ginjinha* de Lisbonne continue d'accueillir les clients, hommes âgés coiffés de casquettes ou couples d'amoureux qui viennent s'offrir une minute de pur plaisir pour 1 €.

Suivez leur exemple et commandez un verre de ce breuvage, *sem* (sans) ou *com* (avec) cerises. Pour être honnête, le goût ne plaira pas à tout le monde. Cependant, l'important n'est pas la boisson mais tout ce qui va avec : voir le serveur aligner les verres en plastique sur le comptoir, parvenir à sortir sans renverser une goutte de votre verre, contempler le spectacle du Largo de São Domingos. Des femmes africaines parées de violet et de jaune éclatant passent comme des papillons exotiques, des rythmes brésiliens se mêlent au bourdonnement des conversations, le château rayonne d'une lumière dorée sur la colline. Le tout est captivant, surtout après deux ou trois verres, quand on commence à se sentir l'âme poète d'un nouveau Pessoa…

>5 L'OCEANÁRIO

SE JETER À L'EAU SANS SE MOUILLER À L'OCEANÁRIO

Aucun mot ne peut décrire le second plus grand océanarium d'Europe, l'Oceanário (p. 91), où 8 000 espèces s'ébattent dans sept millions de litres d'eau de mer. D'immenses aquariums abritent des raies pastenagues léopards et des bancs de tétras néons dansant comme des lumières stroboscopiques aquatiques – un éclat de bleu électrique ici, une étincelle de rouge vif là –, tandis que des prédateurs tentent de dévorer à travers le plexiglas les petits doigts d'enfants surexcités criant : *tubarão !* (un requin !).

Les grandes stars du lieu sont les loutres de mer Eusebio et Amália, qui effectuent des sauts périlleux sous les exclamations émues de la foule. On peut aussi voir des manchots de Magellan, de timides dragons de mer, de grands poissons-lunes, des poulpes géants aux immenses tentacules et des méduses communes, les soucoupes volantes du monde sous-marin. Le tout est assorti de nombreuses informations ; on apprend ainsi que "l'otarie possède la fourrure la plus épaisse du monde". Résultat : un aquarium écologiquement exemplaire, sans ostentation, aux habitats réalistes et aux poissons heureux de vivre.

>6 LE MOSTEIRO DOS JERÓNIMOS

ADMIRER L'ARCHITECTURE MANUÉLINE DU MOSTEIRO DOS JERÓNIMOS

Un véritable feu d'artifice architectural vous attend dans le plus bel édifice manuélin de la ville, le Mosteiro dos Jerónimos (p. 80). Les décorations en pierre de ce monastère du XVIe siècle, aussi fines que de la dentelle, arborent des motifs inspirés de la nature : voûtes festonnées, tourelles ornées de torsades et de coquillages, colonnes où s'entremêlent feuilles, vignes et nœuds marins. Cette beauté lui a valu d'être inscrit au patrimoine mondial par l'Unesco en 1983.

L'émerveillement commence dès l'entrée dans le cloître bordé d'arcades, à la décoration complexe et richement symbolique ; ne manquez pas les singes ailés et les sangliers qui ornent la balustrade supérieure. Dans la chaleur de la journée, les arcades offrent un havre de fraîcheur et un jeu de clair-obscur digne du Caravage. Dans l'église, les piliers semblables à des arbres s'élèvent vers une splendide voûte de pierre ambrée.

Manuel Ier fit construire ce chef-d'œuvre en 1501 pour saluer les exploits maritimes de Vasco de Gama, qui partit pour l'Afrique en 1497 et revint, chargé de poivre et de cannelle, après avoir découvert la route des Indes. La visite du monastère vous renverra à l'âge des grandes découvertes, à des voyages vers des terres encore inexplorées.

>7 LES PASTELARIAS

SE RÉGALER DANS LES PASTELARIAS DE LISBONNE

Les *pastelarias* (pâtisseries) sont à Lisbonne ce que les pubs sont à Londres. Vous en trouverez un peu partout, regorgeant de douceurs qui allègent votre porte-monnaie, alourdissent votre silhouette et vous offrent un instant de pur bonheur. L'initiation à cette tradition séculaire qu'est la dégustation des gâteaux portugais commence avec les *pastéis de nata* (tartelettes à la crème), confectionnées à la perfection par l'Antiga Confeitaria de Belém (p. 82). Depuis 1837, on fabrique ici de petites merveilles culinaires : une crème légère et pas trop sucrée, une magnifique croûte dorée et de délicieuses couches de pâte feuilletée caramélisée. Mais c'est le cadre qui vous séduira le plus : les effluves de *bica* (expresso) fraîchement torréfié qui vous chatouillent les narines, les miroirs Art nouveau où se reflète l'opulence dorée de la décoration, les plaisanteries échangées dans un portugais hésitant avec le client assis près de vous au comptoir, les restes de crème qui luisent dans l'assiette quand vous vous levez pour partir. Pas étonnant que les Lisboètes apprécient autant les *pastelarias*. Pour vivre pleinement cette expérience, essayez des adresses comme la Confeitaria Nacional (p. 58), Versailles (p. 106) et la Pastelaria São Roque (p. 47).

>8 LES MIRADOUROS

GRIMPER JUSQU'AUX MIRADOUROS

Vous risquez fort de maudire cette ville si vallonnée, mais reprenez courage en vous disant que les *calçadas* (escaliers) sinueux et les rues escarpées de Lisbonne conduisent à des *miradouros* (belvédères) offrant des points de vue magiques sur la ville. Certes, il est amusant de rejoindre les hauteurs en funiculaire, mais une rude montée à pied vous fera éliminer les *pastéis de nata* que vous aurez absorbés.

Le spectacle qui vous attend aux *miradouros* en vaut la peine. La jeunesse bohème se retrouve au Miradouro de Santa Catarina (p. 40) pour bavarder, siroter une Sagres et admirer le Ponte 25 de Abril enjambant le ruban bleu du Tage. Vous pouvez aussi monter jusqu'au Largo das Portas do Sol (p. 65) pour contempler la vue sur le labyrinthe de l'Alfama et la coupole du Panteão Nacional. Voyez également le Miradouro de São Pedro de Alcântara (p. 40), avec ses fontaines gargouillantes et son point de vue sur la cathédrale Sé, et surtout le Miradouro da Senhora do Monte (p. 65), d'où l'on découvre un splendide panorama sur le Castelo de São Jorge.

>9 LE MUSEU DO ORIENTE

DÉCOUVRIR DES TRÉSORS COLONIAUX AU MUSEU DO ORIENTE

Si vous ne pouvez visiter qu'un seul musée, choisissez celui-ci. Cet ancien entrepôt de *bacalhau* (morue séchée) des années 1940, transformé en musée et ouvert en 2008, met en lumière les liens du Portugal avec l'Asie, de l'arrivée de ses premiers explorateurs à Macao jusqu'à sa fascination toujours renouvelée pour les dieux asiatiques.

La collection comprend de beaux laques du XVIe siècle, des porcelaines Ming et des éventails en soie peints à la main qui permettent de découvrir la Chine d'autrefois. Le Timor-Oriental est aussi représenté, avec des conques dont on se servait pour prédire l'avenir et des couteaux sculptés avec lesquels on coupait le cordon ombilical des nouveau-nés. À l'étage, admirez les sculptures birmanes de 37 nats (esprits) morts de mort violente, d'époustouflants costumes vietnamiens, des effigies de la déesse indienne Yellamma décorées de plumes de paon et une poupée népalaise sans visage, utilisée pour les exorcismes. Pour plus d'informations, voir p. 113.

>10 LE PALÁCIO NACIONAL DE SINTRA

PRENDRE LA POSE DEVANT LE PALÁCIO NACIONAL DE SINTRA

Classé au patrimoine mondial, le Palácio Nacional de Sintra est célèbre pour ses deux immenses cheminées coniques. Mélange d'architecture maure et manuéline, l'intérieur du palais vous émerveillera avec ses cours ornées d'arabesques, ses colonnes finement ciselées et ses *azulejos* géométriques du XVIe siècle qui comptent parmi les plus anciens du pays.

Ne manquez pas la Sala dos Cisnes (salle des Cygnes) octogonale, couverte de fresques représentant 37 cygnes au cou doré. Jetez un œil à la Sala das Pegas (salle des Pies), au plafond décoré de pies. On raconte que la reine surprit ici Jean Ier en train d'embrasser une de ses dames de compagnie. L'impudent souverain prétendit que ces baisers étaient innocents et *por bem* ("pour le bien"), puis fit peindre une pie pour chaque dame de compagnie de la cour.

Voyez aussi la Sala dos Brasões, qui présente les blasons de 72 grandes familles du XVIe siècle, la belle salle du Galion ainsi que la chapelle palatine et son dallage islamique. Pour finir, admirez la cuisine et ses fameuses cheminées jumelles, où l'on pourrait presque entendre le grésillement d'un cochon en train de rôtir sur une broche pour le roi… qui était aussi porté sur la gastronomie que sur l'adultère. Voir également p. 124.

>AGENDA

Á Lisbonne, *fazer a festa* (faire la fête) est à la fois un droit inaliénable et un rite de passage. Carnavals survoltés et défilés de mode font naître des fourmillements dans les hanches et des sourires sur les visages. Fêtes en l'honneur des saints, concerts, foires d'art contemporain, festivals de cinéma sont autant de raisons pour faire la fête tout au long de l'année.

Pour en savoir plus, voyez *Time Out Lisboa* (http://timeout.sapo.pt, en portugais), ou procurez-vous *Follow Me Lisboa*, le magazine gratuit de l'office du tourisme.

L'océan est à l'honneur lors des Festas dos Santos Populares (Fêtes des saints populaires, p. 25)

FÉVRIER

Carnaval de Lisbonne

www.visitlisboa.com

La samba et l'esprit de Rio s'invitent au carnaval de Lisbonne, l'occasion de manger, de parader dans les rues et de faire la fête toute la nuit.

MARS

Moda Lisboa

www.modalisboa.pt

Le casino d'Estoril accueille pendant quatre jours des défilés de mode où les créateurs portugais, d'Ana Salazar à Lidja Kolovrat, viennent présenter leurs dernières collections.

AVRIL

Open d'Estoril

www.estorilopen.net

Les joueurs de l'ATP s'affrontent dans l'Open d'Estoril, organisé à l'Estádio Nacional, à Cruz Quebrada. Les billets s'arrachent : réservez tôt.

Dias da Música

www.ccb.pt

Des orchestres et des solistes classiques de réputation mondiale se produisent pour un festival de trois jours au Centro Cultural de Belém (p. 86).

IndieLisboa

www.indielisboa.com

Dix jours de courts et longs métrages et des documentaires font découvrir les nouveaux talents du cinéma indépendant. Les enfants ne sont pas oubliés avec Indie Junior.

MAI

Alkantara Festival

www.alkantarafestival.pt

Deux semaines de théâtre avant-gardiste et novateur. Les spectacles ont lieu notamment au Centro Cultural de Belém (p. 86).

Lisboa Downtown

http://lisboadowntown.sapo.pt

Une course de VTT dans l'Alfama, avec descentes dans les rues pavés, virages en épingle à cheveux et sauts spectaculaires. Le premier arrivé gagne...

Rock in Rio

http://rockinrio-lisboa.sapo.pt

Ce festival biennal de rock organisé dans le Parque da Bela Vista donne l'occasion de voir des stars et des feux d'artifice et d'écouter de la musique électronique à la Cidade do Rock.

JUIN

Festa do Fado

www.egeac.pt

Fado classique et contemporain le week-end dans le Castelo de São Jorge (p. 65) illuminé. Concerts gratuits dans les trams les jeudis et dimanches de juin.

Lisbon Pride

www.portugalpride.org

Gays et lesbiennes défilent de Marquês de Pombal à la Praça do Municipio en brandissant le drapeau arc-en-ciel. La fête se prolonge tard dans la nuit.

JUILLET

BaixAnima

Rythmes brésiliens, jongleurs et théâtre de rue : le festival d'été de la Baixa fait le bonheur des foules tous les week-ends de juillet à septembre, et c'est gratuit !

Artiste de rue au festival BaixAnima

TOUS LES SAINTS DU CALENDRIER

Pendant trois semaines, les Festas dos Santos Populares (Fêtes des Saints populaires) sont l'occasion pour les Lisboètes de boire du *vinho*, de griller des sardines et de se défouler. Les célébrations prennent une intensité particulière dans l'Alfama, où les cours sont décorées de guirlandes multicolores. Les points forts sont les suivants :

Festa de Santo António. Saint Antoine est célébré du 12 au 13 juin avec des *arraiais* (fêtes de rue) et des *bailes* (bals) copieusement arrosés. Saint Antoine est réputé être le saint de l'amour : les Lisboètes déclarent leur flamme en offrant des plants de *manjerico* (basilic) accompagnés de poèmes, et environ 300 couples démunis sont mariés gratuitement.

Festa de São Pedro. La fête de saint Pierre, patron des pêcheurs, se déroule du 28 au 29 juin. Dans cette ville où le poisson abonde, c'est l'occasion d'en manger à profusion et d'assister à une procession sur le fleuve.

Delta Tejo

www.deltatejo.com

À Alto da Ajuda, trois jours de concerts de groove brésilien et de reggae jamaïcain sous un ciel étoilé.

Festival do Estoril

www.estorilfestival.net

La station balnéaire d'Estoril délaisse les pelles et les seaux au profit des orchestres à cordes et des sopranos. Cinq semaines de concerts en plein air, d'opéras et d'expositions.

Super Bock Super Rock

www.superbock.pt

À la mi-juillet, le Parque das Nações est investi par des rockeurs buveurs de bière. Lors des éditions précédentes se sont produits ZZ Top, Beck et Iron Maiden.

AOÛT

Festival dos Oceanos

http://festivaldosoceanos.com

Pendant 15 jours, le passé maritime de Lisbonne est à l'honneur : régates, world music, feux d'artifice au bord de l'eau, démonstrations de cerfs-volants et un défilé de crustacés géants dans le Parque das Nações.

Jazz em Agosto

www.musica.gulbenkian.pt

Début août, la Fundação Calouste Gulbenkian (p. 108) organise ce festival qui accueille pendant neuf jours des grands noms du jazz et des talents en herbe.

SEPTEMBRE

Festival de Cinema Gay e Lésbico

www.lisbonfilmfest.org

Le festival du cinéma gay et lesbien projette pendant 10 jours, fin septembre une centaine de films portugais et étrangers.

NOVEMBRE

Arte Lisboa

www.artelisboa.fil.pt

Soixante galeries portugaises et étrangères d'art contemporain se retrouvent lors de cet immense salon organisé à la Feira Internacional de Lisboa (p. 96), dans le Parque das Naçoes. Art Kids permet aux enfants de mettre la main à la pâte.

Dia de São Martinho

Grignotez des marrons chauds et gorgez-vous d'*água-pé* (vin nouveau fruité) le 11 novembre à l'occasion de la Saint-Martin.

DÉCEMBRE

Marathon de Lisbonne

www.lisbon-marathon.com

Ce marathon qui se court de la Praça do Comércio à Belém permet d'apercevoir des sites phares comme le Ponte 25 de Abril et la Torre de Belém.

Réveillon du Nouvel An

Avalez 12 grains de raisins à minuit puis rejoignez la Torre de Belém pour célébrer le Nouvel An : feux d'artifice, concerts gratuits et fêtes animées par des DJ.

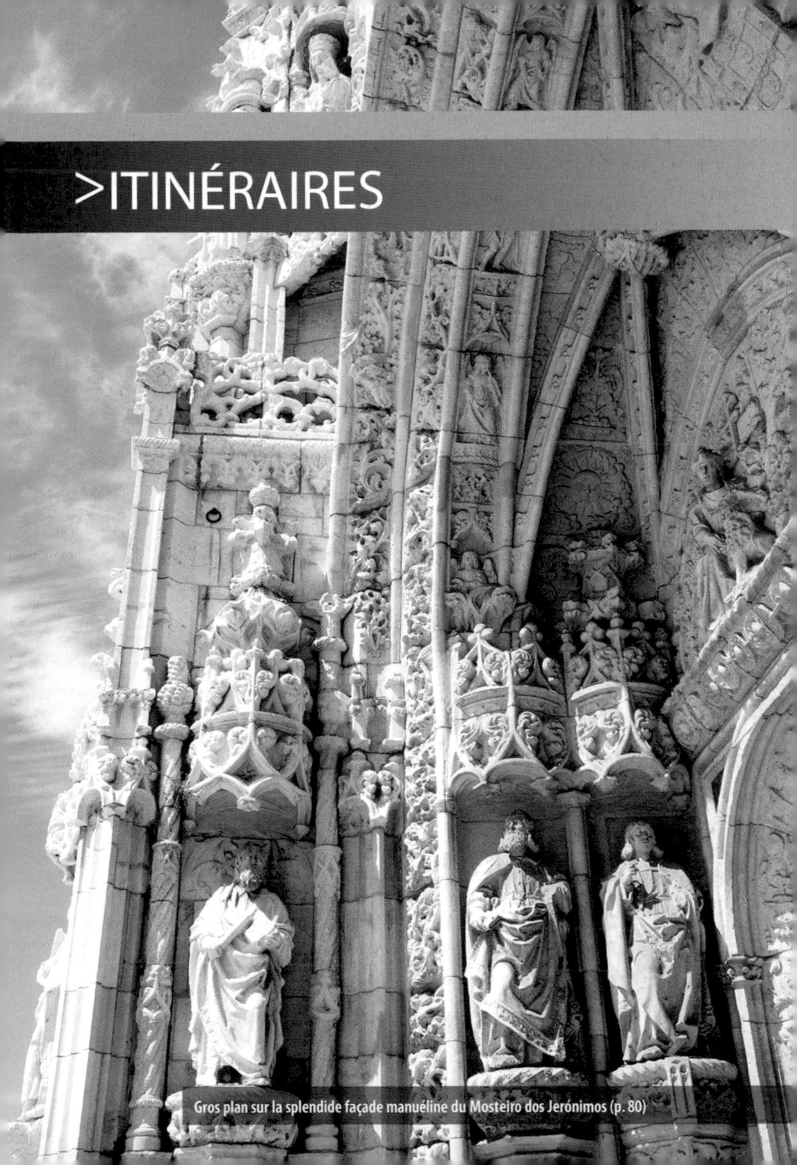

>ITINÉRAIRES

Gros plan sur la splendide façade manuéline du Mosteiro dos Jerónimos (p. 80)

HOT
CLUBE
Jazz Club
Especial "Festival Jazz.pt"

ITINÉRAIRES

Ne vous laissez pas intimider par les sept collines de Lisbonne. Que ce soit pour explorer le dédale de l'Alfama, faire les boutiques de la Baixa ou revivre l'âge des grandes découvertes à Belém, la ville se prête parfaitement à la promenade. Quand la chaleur devient écrasante, allez vous rafraîchir dans les forêts de Sintra ou les eaux de l'Atlantique avant de revenir faire la tournée des bars dans le Bairro Alto.

UN JOUR

Tôt le matin, prenez le tram n°28 (p. 14) pour découvrir les sites phares de Lisbonne. Admirez la vue depuis les remparts maures du Castelo de São Jorge (p. 65) et descendez jusqu'au Largo das Portas do Sol pour boire un *bica* (expresso) en contemplant les eaux bleues du Tage. Explorez les ruelles de l'Alfama, le linge séchant aux fenêtres, les places éclaboussées de soleil et le bruit des conversations. Á la Porta d'Alfama (p. 72), dégustez quelques sardines en écoutant un concert impromptu de fado, puis allez faire du shopping dans la Rua Augusta (p. 52) en admirant au passage la Sé (p. 69). Au crépuscule, sirotez une *ginjinha* (liqueur de cerise) au minuscule A Ginjinha (p. 60), puis dînez à l'Olivier (p. 46) avant d'aller prendre un verre au Noobai (p. 49) à l'heure où s'allument les lumières de la ville.

DEUX JOURS

Réveillez-vous avec quelques *pastéis de nata* saupoudrés de cannelle à l'Antiga Confeitaria de Belém (p. 82). Filez voir le splendide cloître manuélin du Mosteiro dos Jerónimos (p. 80), inscrit au patrimoine mondial. Suivez le fleuve pour découvrir le Padrão dos Descobrimentos (p. 81) et l'insolite Torre de Belém (p. 81), vestiges de l'âge des grandes découvertes. Allez admirer gratuitement des œuvres de Warhol et Picasso au Museu Colecção Berardo (p. 80), puis reprenez des forces avec une salade et un jus d'orange à la Cafeteria Quadrante (p. 84). Passez l'après-midi à flâner sous les palmiers du Jardim da Estrela (p. 112) en regardant la coupole baroque d'un blanc éclatant de la Basílica da Estrela (p. 112). Le soir, dégustez des sushis au Bica do Sapato (p. 70), le restaurant de John Malkovich, avant de finir la nuit au Lux (p. 75), la discothèque la plus courue de la ville.

En haut Une œuvre d'art moderne exposée au Museu Colecção Berardo (p. 80), dans le Centro Cultural de Belém
En bas Finissez la journée devant un concert dans l'un des bars branchés de la ville

TROIS JOURS

Si vous n'êtes pas trop épuisé après vos soirées nocturnes, prenez le métro jusqu'à la sublime Gare do Oriente (p. 90), dessinée par Santiago Calatrava pour l'Expo'98. Profitez des aperçus sur le fleuve à travers les frangipaniers du Jardim Garcia de Orta (p. 90) d'inspiration coloniale, puis rejoignez le Ponte Vasco de Gama (p. 92), le plus long d'Europe avec ses 17,2 km. Régalez-vous de délicieux poissons frais à la terrasse d'Atanvá (p. 94), et allez admirer *les* requins et les otaries de l'immense Oceanário (p. 91). Accordez-vous une séance de shopping dans l'Avenida da Liberdade (p. 98) ou une pause culturelle devant *L'Éternel Printemps* de Rodin au Museu Calouste Gulbenkian (p. 101). Réservez une table à l'Eleven (p. 103), étoilé au Michelin et bénéficiant d'une vue imprenable.

UN ÉTÉ DANS LA FRAÎCHEUR

Quand le temps se fait étouffant, n'hésitez surtout pas à rejoindre en train Sintra (p. 124) et ses bois plantés de fougères et parsemés de rochers. Pour un peu plus de fraîcheur, cachez-vous un moment dans les grottes féeriques de la Quinta da Regaleira (p. 124) et explorez les fortifications du Castelo dos Mouros (p. 125). Surtout, avant de partir, photographiez les célèbres cheminées du Palácio Nacional de Sintra (p. 124), classé par l'Unesco. Si toutefois vous préférez la plage, rendez-vous à Cascais (p. 126) pour vous baigner, bronzer et déguster des fruits de mer au bord de l'eau. Au coucher du soleil, repartez à Lisbonne en pleine forme, prêt pour quelques en-cas et une bière glacée dans le Bairro Alto (p. 36).

BONS PLANS

Lisbonne est idéale pour les voyageurs à petit budget, car ses plus beaux sites se trouvent en plein air : les *miradouros* (belvédères, p. 20) et leurs sublimes panoramas, l'Alfama (p. 64) et son ambiance moyenâgeuse, Rossio (p. 55) et son animation. La cathédrale romane Sé (p. 69), les ruines de l'amphithéâtre romain du Museu do Teatro Romano (p. 68) et la coupole rayée de la Basílica da Estrela (p. 112), de style néoclassique, raviront les amateurs de culture. Le dimanche matin, profitez de l'entrée gratuite au Museu Calouste Gulbenkian (p. 101) pour voir quelques Rembrandt, puis promenez-vous dans le Parque Eduardo VII (p. 102). Offrez-vous une dégustation gratuite de vins de l'Alentejo et du Douro à ViniPortugal (p. 61) sur la Praça do Comércio (p. 54). En juillet, plongez dans les couleurs, la musique et les acrobaties du festival de rue BaixAnima (p. 25).

AVANT DE PARTIR

Deux mois à l'avance. Révisez votre portugais sur www.toutapprendre.com ou www.babelmonde.fr. Réservez vos billets pour des manifestations estivales comme le Super Bock Super Rock (p. 26).

Un mois à l'avance. Réservez une table au prestigieux Olivier (p. 46) ou à l'Eleven (p. 103), étoilé au Michelin. Procurez-vous des billets pour les spectacles avant-gardistes du Centro Cultural de Belém (p. 86) et du Teatro Nacional de São Carlos (p. 50).

Deux semaines à l'avance. Cliquez sur www.visitlisboa.com ou http://timeout.sapo.pt pour planifier vos sorties. Réservez un match de football à l'Estádio da Luz (p. 108).

Quelques jours à l'avance. Réservez un concert de fado au Clube de Fado (p. 73) ou une croisière d'observation des dauphins à Setúbal (p. 123). Consultez les sites web du Music Box (p. 50) et du Cabaret Maxime (p. 107) pour les concerts, ou celui du Lux (p. 75) pour le clubbing.

SHOPPING

Dans le quartier huppé du Chiado, voyez les créations féminines d'Ana Salazar (p. 42) et les gants pour enfants de Luvaria Ulisses (p. 42). Craquez pour les beaux tissus de Story Tailors (p. 44) et les souvenirs insolites de The Wrong Shop (p. 44). Les gourmets mettront le cap sur la Baixa pour se fournir en vins à Napoleão (p. 56), en fromages chez Manuel Tavares (p. 56) et en boîtes de sardines à l'ancienne à la Conserveira de Lisboa (p. 55). Faites une pause-pâtisserie à la Confeitaria Nacional (p. 58), puis offrez-vous les créations de couturiers lisboètes comme Jorge Moita, à Fabrico Infinito (p. 42). Le soir, allez au Bairro Alto trouver des vêtements rétro à Agência 117 (p. 41) et Happy Days (p. 42), ou des Adidas en édition limitée à Sneakers Delight (p. 44).

>LES QUARTIERS

Dans le centre de Lisbonne, la Rua Augusta piétonne relie la Praça do Comércio à la Praça da Figueira

LES QUARTIERS

Remparts maures, vie nocturne trépidante, gratte-ciel aériens – tournant le dos à l'uniformité, Lisbonne présente un visage différent sur chacune de ses sept collines.

Au cœur de la ville, le Chiado avec des cafés, des boutiques élégantes et l'énigmatique Convento do Carmo. Á côté, dans le Bairro Alto, les magasins de vêtements rétro côtoient les bistros et les bars de nuit, les fêtards boivent dans la rue, les vendeurs de haschich narguent la police et les taxis roulent à tombeau ouvert. Les points forts du quartier sont Cais do Sodré, haut lieu des concerts, Príncipe Real, rendez-vous des gays, et Santa Catarina, lieu favori des "bobos".

Á l'est, la Baixa a été reconstruite après le séisme de 1755 par le marquis de Pombal au XVIIIe siècle. Les belles arcades de la Praça do Comércio rappellent l'âge d'or de la royauté portugaise, tandis que la Rua Augusta, piétonne, fourmille d'adeptes du shopping et de musiciens ambulants. Au nord, Rossio avec ses places pittoresques et ses petits bars à *ginjinha* (liqueur de cerise).

Adossé à la Baixa, le quartier ouvrier de l'Alfama est un dédale d'allées tortueuses et de places ensoleillées, où le tram passe en bringuebalant, le linge se balance et les habitants bavardent sur fond de fado. C'est ici que se trouvent la Sé (la cathédrale) et le Castelo de São Jorge. Plus au nord, Graça offre de vertigineux *miradouros* (belvédères), le marché aux puces de la Feira da Ladra et le paisible cloître de l'Igreja de São Vicente da Fora.

Un court trajet en tram à l'ouest du centre mène à Belém, flambeau de l'âge des grandes découvertes, qui abrite des trésors manuélins comme le Mosteiro dos Jerónimos. Au nord, le Parque das Nações est ancré dans le XXIe siècle avec son architecture avant-gardiste, son art public et les merveilles sous-marines de l'Oceanário.

Au nord de la Baixa, les quartiers de Marquês de Pombal, Rato et Saldanha regroupent des restaurants comme l'Eleven, étoilé au Michelin, des boutiques de couturiers dans l'Avenida da Liberdade et des musées comme le Museu Calouste Gulbenkian. À l'ouest du Bairro Alto, Estrela et Lapa conjuguent opulence, culture, parcs et hôtels de charme. Au bord du fleuve, vers le Ponte 25 de Abril, les discothèques occupent les entrepôts des Doca de Alcântara.

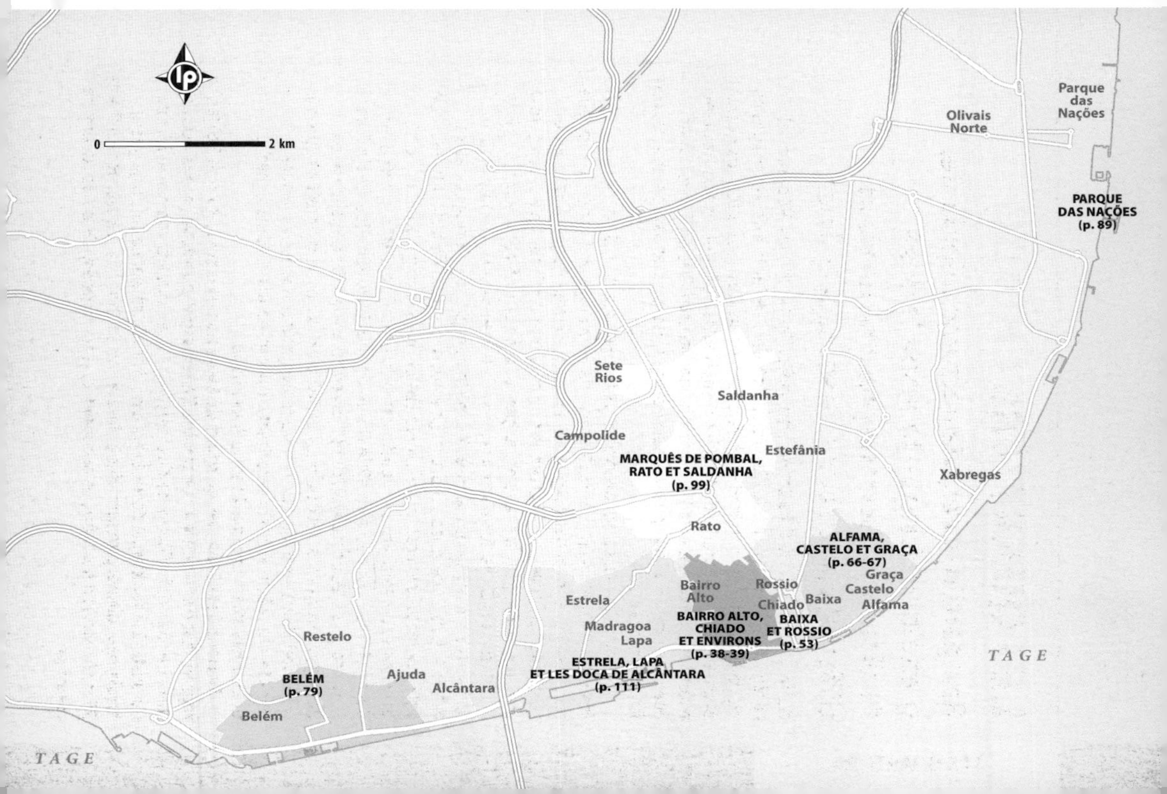

0
2 km
Parque das Nações
Olivais Norte
PARQUE DAS NAÇÕES (p. 89)
Sete Rios
Saldanha
Campolide
Estefânia
MARQUÊS DE POMBAL, RATO ET SALDANHA (p. 99)
Xabregas
Rato
ALFAMA, CASTELO ET GRAÇA (p. 66-67)
Graça
Castelo
Alfama
Bairro Alto
Rossio
Chiado
Baixa
Estrela
BAIRRO ALTO, CHIADO ET ENVIRONS (p. 38-39)
BAIXA ET ROSSIO (p. 53)
Madragoa
Lapa
Restelo
ESTRELA, LAPA ET LES DOCA DE ALCÂNTARA (p. 111)
TAGE
BELÉM (p. 79)
Ajuda
Alcântara
Belém
TAGE

>BAIRRO ALTO, CHIADO ET ENVIRONS

Bruyant et libre, le Bairro Alto est l'éternel étudiant de Lisbonne. Ses rues pavées prennent vie au crépuscule, lorsque les jeunes filles branchées envahissent les boutiques de vêtements rétro passant de vieux 33-tours et que les bars crachent des bandes de joyeux noctambules. L'ambiance festive s'étend au sud jusqu'à Santa Catarina, avec ses bars alternatifs, et la Rua Nova do Carvalho, où se tiennent des concerts trépidants. Plus au nord, Príncipe Real est le rendez-vous des gays. C'est dans le Barrio Alto que bat le cœur de Lisbonne.

BAIRRO ALTO, CHIADO ET ENVIRONS

VOIR

- Convento do Carmo **1** F4
- Elevador da Bica **2** D6
- Igreja de São Roque **3** E4
- Miradouro de Santa Catarina **4** C5
- Miradouro de São Pedro de Alcântara........... **5** E3
- Museu do Chiado.............. **6** F6
- Praça da Alegria **7** D2
- Praça das Flores **8** B3
- Praça do Príncipe Real **9** C2

SHOPPING

- A Carioca **10** E5
- A Vida Portuguesa **11** F5
- Agência 117 .... **12** E4
- Ana Salazar **13** F4
- El Dorado **14** E5
- Fábrica Sant'Anna **15** E6
- Fabrico Infinito **16** D3
- Fátima Lopes **17** D4
- Happy Days **18** E5
- Kinky Store **19** E6
- Lena Aires **20** D4
- Loser Project **21** F6
- Louie Louie **22** E5
- Luvaria Ulisses **23** F4
- Mercado da Ribeira **24** D7
- Sneakers Delight **25** E5
- Story Tailors **26** F6
- Wrong Shop **27** F5
- Zed's Dad **28** D5

SE RESTAURER

- A Camponesa **29** D5
- Cervejaria Trindade **30** E4
- El Gordo II **31** E4
- Lisboa á Noite **32** E4
- Louro & Sal ....(voir 37)
- Mar Adentro **33** E6
- Nood **34** E5
- O Barrigas **35** D4
- Olivier **36** D3
- Pap'Açorda **37** D4
- Pastelaria São Roque **38** D3
- Royale Café **39** F4
- Sul **40** E5
- Tavares Rico **41** E5

PRENDRE UN VERRE

- A Brasileira **42** E5
- Bairro Alto Hotel **43** E5
- Bedroom **44** E4
- Bicaense **45** D5
- Cinco Lounge **46** C3
- Ginjinha das Gáveas **47** E5
- Majong **48** D5
- Noobai Café **49** C5
- O'Gilín's **50** E7
- Pavilhão Chinês **51** D3
- Portas Largas **52** D4
- Solar do Vinho do Porto.. **53** E3

SORTIR

- Bar 106 .... 54 B3
- Bar Água no Bico 55 B2
- Bric-a-Bar 56 C2
- Catacumbas 57 D4
- Frágil 58 D4
- Incógnito 59 B5
- Jamaica 60 E6
- Memorial 61 A2
- Music Box 62 E6
- Teatro Nacional de São Carlos 63 E5
- Trumps 64 B2
- Zé dos Bois 65 D4

Voir carte p. 38-39

En allant vers l'est par la Praça Luís de Camões, on atteint le Chiado, dont les beaux édifices du XVIIIe siècle abritent théâtres, boutiques de couturiers et cafés à l'ancienne. Les Rodin du Museu do Chiado attirent les amateurs d'art, tandis que les passionnés d'architecture s'émeuvent devant les vestiges du Convento do Carmo. Imprégné d'une atmosphère littéraire, ce quartier doit son nom au poète António Ribeiro, dit *Chiado*.

VOIR

CONVENTO DO CARMO

213 478 629 ; Largo do Carmo ; adulte/– de 14 ans/réduction 2,50/ gratuit/1,50 € ; 10h-18h avr-sept, 10h-17h oct-mars ; M Baixa-Chiado

De ce fascinant couvent gothique presque détruit par le séisme de 1755 ne subsistent que les voûtes, les piliers et les arcs-boutants. Son musée archéologique expose aussi bien des *azulejos* baroques qu'un trio de momies – une égyptienne en piteux état et deux péruviennes du XVIe siècle.

ELEVADOR DA BICA

Rua de São Paulo ; 1,35 € ; 7h-21h lun-sam, 9h-21h dim ; M Cais do Sodré

S'élevant en grinçant le long de la Rua da Bica de Duarte Belo, cet antique funiculaire jaune vous renvoie à la fin du XIXe siècle. Parfait pour économiser ses forces, il permet d'apercevoir le Tage et des maisons aux façades pastel.

IGREJA DE SÃO ROQUE

213 235 381 ; Largo Trindade Coelho ; entrée libre ; 8h30-17h ; M Rossio

Banale à l'extérieur, éblouissante à l'intérieur, cette église jésuite renferme des *azulejos* florentins et la sublime Capela de São João Baptista, une chapelle du XVIIIe siècle parée d'améthystes, de lapis-lazulis et de marbre de Carrare, et dont les délicates mosaïques retracent la vie de saint Jean-Baptiste.

Soleil et calme au Convento do Carmo

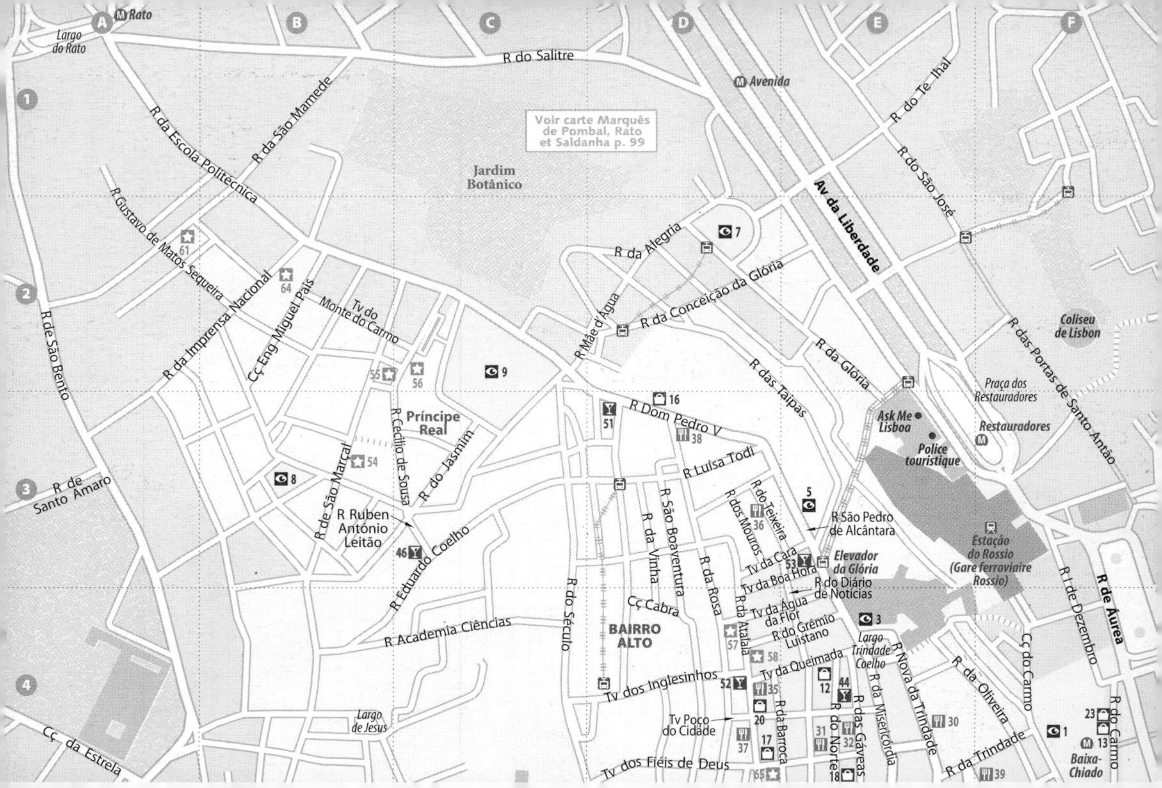
R do Carmo
R de Áurea
R I de Dezembro
Baixa-Chiado
Coliseu de Lisbon
R das Portas de Santo Antão
Praça dos Restauradores
Restauradores
Estação do Rossio (Gare ferroviaire Rossio)
Cç do Carmo
R da Oliveira
R da Trindade
R do Te Ihal
R do São José
Police touristique
Ask Me Lisboa
R Nova da Trindade
R da Misericórdia
R das Gáveas
R do Norte
Largo Trindade Coelho
Av da Liberdade
R da Glória
R São Pedro de Alcântara
Elevador da Glória
R do Diário de Notícias
Tv da Boa Hora
Tv da Cara
R dos Mouros
R do Teixeira
Tv da Água da Flor
R do Grémio Lusitano
Tv da Queimada
R da Barroca
R da Atalaia
Avenida
R das Taipas
R da Conceição da Glória
R Luisa Todi
R Dom Pedro V
R da Rosa
Tv Poço do Cidade
Tv dos Fiéis de Deus
R São Boaventura
R da Vinha
Cç Cabra
BAIRRO ALTO
Tv dos Inglesinhos
R da Alegria
R Mãe d'Água
Voir carte Marquês de Pombal, Rato et Saldanha p. 99
Jardim Botânico
R do Salitre
R do Século
R Academia Ciências
Príncipe Real
R do Jasmim
R Eduardo Coelho
R Cecílio de Sousa
R Ruben António Leitão
Tv do Monte do Carmo
R de São Marçal
Largo de Jesus
R da São Mamede
Cç Eng Miguel Pais
R da Imprensa Nacional
R da Escola Politécnica
R Gustavo de Matos Sequeira
Rato
Largo do Rato
R de São Bento
R de Santo Amaro
Cç da Estrela

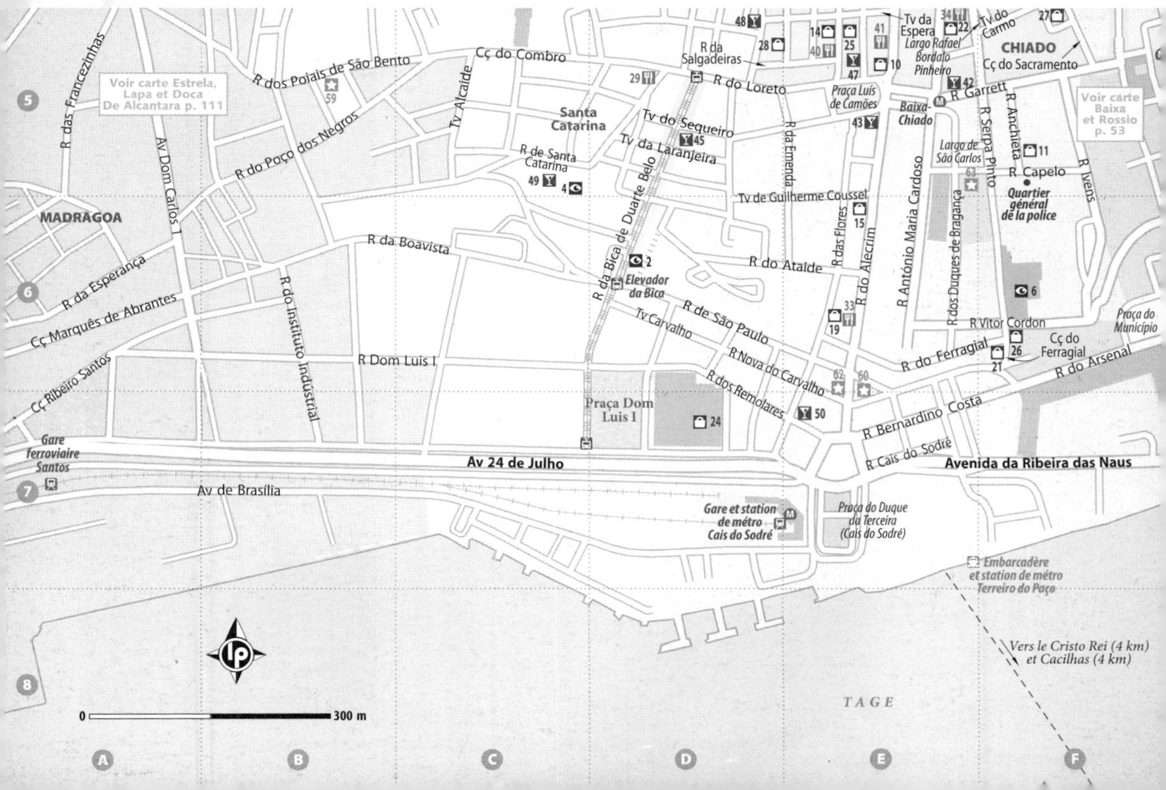

CHIADO
Santa Catarina
MADRAGOA
Cç do Combro
R dos Poiais de São Bento
R das Francezinhas
Voir carte Estrela, Lapa et Doca De Alcantara p. 111
Voir carte Baixa et Rossio p. 53
Tv Alcaide
R do Poço dos Negros
Av Dom Carlos I
R da Salgadeiras
R do Loreto
Tv do Sequeiro
Tv da Laranjeira
R de Santa Catarina
R da Emenda
Praça Luís de Camões
Tv da Espera
Largo Rafael Bordalo Pinheiro
Tv do Carmo
Cç do Sacramento
R Garrett
Baixa-Chiado
R Serpa Pinto
R Anchieta
R Capelo
R Ivens
Largo de São Carlos
Quartier général de la police
Tv de Guilherme Coussel
R António Maria Cardoso
R dos Duques de Bragança
R das Flores
R do Alecrim
R da Boavista
R da Bica de Duarte Belo
Elevador da Bica
R do Ataide
R de São Paulo
Tv Carvalho
R Nova do Carvalho
R dos Remolares
R Vitor Cordon
Cç do Ferragial
R do Ferragial
R do Arsenal
Praça do Município
R da Esperança
Cç Marquês de Abrantes
Cç Ribeiro Santos
R do Instituto Industrial
R Dom Luis I
Praça Dom Luis I
R Bernardino Costa
R Cais do Sodré
Avenida da Ribeira das Naus
Gare Ferroviaire Santos
Av 24 de Julho
Av de Brasília
Gare et station de métro Cais do Sodré
Praça do Duque da Terceira (Cais do Sodré)
Embarcadère et station de métro Terreiro do Paço
Vers le Cristo Rei (4 km) et Cacilhas (4 km)
TAGE
0
300 m

MIRADOURO DE SANTA CATARINA

Rua de Santa Catarina ; 24h/24 ; Elevador da Bica

Adolescents jouant de la guitare, étudiants fumant des joints, artistes sans le sou se retrouvent à ce belvédère qui offre une vue panoramique sur le fleuve et le Ponte 25 de Abril. Remarquez la statue d'Adamastor, monstre marin sorti de l'imagination du poète Luís de Camões. Voir aussi p. 20.

MIRADOURO DE SÃO PEDRO DE ALCÂNTARA

Rua São Pedro de Alcântara ; 24h/24 ; M Restauradores

Un vieux funiculaire, l'Elevador da Glória (p. 161), grimpe jusqu'à ce point de vue d'où Lisbonne s'étend comme un patchwork de monuments comme le Castelo de São Jorge. Reposez-vous près des fontaines et des bustes grecs.

ESCAPADE

Vous cherchez le lieu idéal d'où photographier Lisbonne ? Prenez le ferry au terminal de Terreiro do Paço pour rejoindre le **Cristo Rei** (212 751 000 ; www.cristo-rei.com ; Alto do Pragal, Almada ; adulte/réduction 4/2 € ; 9h30-18 h ; Cacilhas, 101). Inspirée du *Christ Rédempteur* de Rio de Janeiro, cette statue culminant à 110 m fut érigée en 1959 pour remercier Dieu d'avoir épargné le Portugal pendant la Seconde Guerre mondiale. Un ascenseur conduit en haut du piédestal de 82 m offrant une vue splendide sur la ville. La boutique de souvenirs vend des objets kitschissimes, comme une statue fluo de Jésus.

MUSEU DO CHIADO

213 432 148 ; Rua Serpa Pinto 4 ; www.museudochiado-ipmuseus.pt ; adulte/– 14 ans/réduction 4/gratuit/ 2,50 €, gratuit dim 10h-14h ; 10h-18h mar-dim ; M Baixa-Chiado

LES PLACES

Au nord du Bairro Alto, Príncipe Real renferme certaines des plus charmantes places de Lisbonne, parfaites pour un pique-nique ou une paisible promenade. Voici nos préférées :

Praça do Príncipe Real. Bordée de palmiers et ombragée par un gigantesque cèdre, elle attire les joueurs de cartes le jour et les homosexuels le soir. On trouve des jeux pour enfants et un café avec terrasse.

Praça das Flores. Pavée, romantique et verdoyante, avec d'agréables fontaines.

Praça da Alegria. Palmiers et banians ombragent cette place tranquille où les parents viennent promener leurs bébés sous le buste en bronze d'Alfredo Keil, un peintre du XIXe siècle.

Sous les voûtes pittoresques d'un ancien couvent, ce musée contemporain expose des œuvres des XIXe et XXe siècles. La collection comprend des originaux de Rodin et de Jorge Vieira, l'euphorique *Dançarino* (1888) de Tomas Costa et le paysage de nuit *Nocturno* (1910) d'António Teixeira. Un café vous attend dans le jardin.

SHOPPING

Les magasins chics se regroupent dans l'élégante Rua do Carmo, tandis que les allées étroites du Bairro Alto abritent des boutiques où trouver vêtements rétro et tenues de discothèque.

A CARIOCA *Épicerie fine*

213 420 377 ; Rua da Misericórdia 9 ; 9h-19h lun-ven, 13h-19h sam ; M Baixa-Chiado

Venez chercher votre dose de caféine dans ce magasin Art déco rappelant les années 1920 avec ses miroirs, son service à l'ancienne, ses cuivres et son antique torréfacteur. Les mélanges maison et les chocolats sont amoureusement enveloppés dans du papier vert.

A VIDA PORTUGUESA *Cadeaux et souvenirs*

213 465 073 ; Rua Anchieta 11 ; 10h-20h lun-sam ; M Baixa-Chiado

Ce magasin vous ramène 100 ans en arrière avec ses produits portugais nostalgiques : savons au citron vert, sardines Tricona dans leur emballage d'antan, hirondelles en porcelaine Bordallo Pinheiro.

AGÊNCIA 117 *Mode vintage*

213 461 270 ; Rua do Norte 117 ; 14h-minuit ; M Baixa-Chiado

Marre de votre coiffure ? Rien à vous mettre ? Achetez une robe en jersey de couleur vive, une tenue Miss Sixty ou des bottes en caoutchouc, puis confiez votre tête à Patricia, la coiffeuse maison. Notez le crucifix en velours !

EL DORADO *Mode vintage*

213 423 935 ; Rua do Norte 23 ; 14h-20h lun-sam ; M Baixa-Chiado

Fouillez dans les jupes droites, les chemises psychédéliques et les chaussures à semelles compensées des années 1960 et 1970, avec des 33-tours d'époque en fond sonore. Fripes et tenues de discothèque.

FÁBRICA SANT'ANNA *Céramiques*

213 422 537 ; www.fabrica-santanna.com ; Rua do Alecrim 95 ; 9h30-19h lun-sam ; M Baixa-Chiado

Depuis 1741, la Fábrica Sant'Anna réalise et peint de superbes *azulejos*. Pour plus de détails, voir p. 115.

FABRICO INFINITO *Design*

212 467 629 ; Rua Dom Pedro V 74A ; 10h-19h lun-ven ; Elevador da Glória

Dans une ancienne remise pour carrosses, cet espace présente les créations de designers portugais et brésiliens. Luxe et recyclage sont les maîtres mots. Voyez les lustres de Marcela Brunken et les sacs La.Ga de Jorge Moita (voir ci-contre).

HAPPY DAYS *Mode vintage*

☎ 213 421 015 ; Rua do Norte 60 ; 13h-22h lun-sam ; M Baixa-Chiado

On s'attend presque à tomber sur Fonzie. Colliers, chaussures Fly London et sacs à main pailletés font le bonheur des amoureux des années 1950 et1960.

KINKY STORE

Mode et accessoires

☎ 968 452 041 ; Rua das Flores 24 ; 12h-20h lun-ven, 12h-19h sam ; M Cais do Sodré

Ce temple de l'érotisme regorge de lingerie sexy, de bikinis et de tout ce qu'une diva peut désirer, des plumes pour jeux coquins aux poupées vaudoues pour faire des maléfices.

LOUIE LOUIE *Musique*

☎ 213 472 232 ; Rua Nova da Trinidade 8 ; 11h-20h lun-sam, 15h-20h dim ; M Baixa-Chiado

Ce repaire pour DJ propose des disques vinyle d'occasion et les derniers CD de musique house, dance et électronique.

LUVARIA ULISSES

Mode et accessoires

☎ 213 420 295 ; Rua do Carmo 87A ; 10h-19h lun-sam ; M Baixa-Chiado

Ce petit bijou Art déco vend des gants d'enfants tout doux dans un large éventail de couleurs.

AIGUILLES MAGIQUES

Voici les trois fées des podiums lisboètes, qui renouvellent votre garde-robe d'un coup de leur baguette magique de couturière :

Ana Salazar (☎ 213 472 289 ; www.anasalazar.pt ; Rua do Carmo 87 ; 10h-19h lun-sam ; M Baixa-Chiado). D'un blanc virginal, la boutique d'Ana se trouve en plein cœur du Chiado. Créatives et féminines, ses collections révèlent une passion pour les tissus en stretch, les motifs audacieux et les couleurs terre.

Fátima Lopes (☎ 213 240 545 ; Rua da Atalaia 36 ; 10h-20h mar-ven, 11h30-20h sam ; M Baixa-Chiado). Les créations d'inspiration latine de Fátima sont moulantes et osées : tailleurs parfaitement coupés, robes de bal en satin rouge, robes de soirée tape-à-l'œil et minijupes bleu électrique.

Lena Aires (☎ 213 461 815 ; Rua da Atalaia 96 ; 14h-minuit lun-sam ; M Baixa-Chiado). Lena vend dans cette boutique du Bairro Alto ses vêtements fluides et joyeux, aux couleurs éclatantes.

Jorge Moita

Créateur des sacs La.Ga et directeur de Krvkurva (www.krvkurva.org)

Parlez-nous de vos sacs La.Ga. Ils sont en Tyvek, un matériau très dense, résistant à l'eau et à la radioactivité. Recyclables, ils pèsent 40 g et peuvent porter jusqu'à 55 kg. **Quel est le concept ?** Que style peut rimer avec conscience écologique. **Ils sont fabriqués en prison ?** Je coopère avec la prison pour femmes de Tires, qui représente le visage humain de mon travail. J'adore leur honnêteté : elles vous disent que c'est mauvais ou qu'au contraire, c'est génial et qu'elles fabriqueront des contrefaçons à leur sortie de prison ! **Comment Lisbonne vous inspire-t-elle ?** C'est La Havane européenne, avec sa lumière, sa décadence et ses bâtiments éclatants. Elle est propice à la rêverie, la vie y est intuitive et réelle. **Vos lieux préférés ?** Le Mar Adentro (p. 46) pour prendre un café et l'Alfama (p. 64) pour me promener.

MERCADO DA RIBEIRA
Marché

☎ 210 312 600 ; Avenida 24 de Julho ; 6h-14h lun-sam ; M Cais do Sodré

Le principal marché alimentaire de Lisbonne, parfait pour préparer un pique-nique. Les étals croulent sous les fruits, les sardines argentées et les pains croustillants.

SNEAKERS DELIGHT
Mode et accessoires

☎ 213 479 976 ; Rua do Norte 30 ; M Baixa-Chiado

Les branchés achètent ici des Adidas en édition limitée. Sur les murs, les ogres et les monstres de l'artiste français Skwak ont un sourire radieux.

STORY TAILORS
Mode et accessoires

☎ 213 432 306 ; Calçada do Ferragial 8 ; 10h30-20h ; M Baixa-Chiado

Cette forêt enchantée de la mode, ornée de commodes en bois noueux et de lustres, est le terrain de chasse des couturiers lisboètes Luís et João, adeptes des tissus à pois, des toiles de vichy et des matériaux froissés.

THE LOSER PROJECT
Mode et accessoires

☎ 213 421 861 ; www.theloserproject.com ; Rua do Ferragial 1 ; 14h-19h lun-ven, 11h-16h30 sam ; M Baixa-Chiado

Dans cette boutique ultra-cool du Chiado, gays et métrosexuels fondent devant les vêtements couture, les chaussures vernies et les sacs en cuir doré de Rui Duarte.

THE WRONG SHOP
Cadeaux et souvenirs

☎ 213 433 197 ; www.thewrongshop.com ; Calçada do Sacramento 25 ; 11h-20h lun-ven, 11h-22h sam ; M Baixa-Chiado

Cadeaux insolites : livres aux pages blanches que Pessoa ou Saramango n'ont jamais écrits, coqs en plastique et tue-mouches bienveillants.

ZED'S DAD
Mode et accessoires

Rua da Barroca 7 ; 12h-20h lun-mer, 12h-minuit jeu-ven, 16h-20h sam ; M Baixa-Chiado

Dans un décor de pierres apparentes et de miroirs, la styliste allemande Nicole présente ses motifs rétro, ses chemises flashy style années 1970 et ses hauts en Lurex new age.

SE RESTAURER

Pour manger tard le soir, le Bairro Alto est parsemé de petits bistros servant aussi bien des tapas que des steaks de zèbre arrosés d'une *caipirinha*. Branchitude garantie.

A CAMPONESA
Portugais €€

☎ 213 464 791 ; Rua Marechal Saldanha 23 ; 12h30-15h et 19h30-

23h lun-ven, sam dîner uniquement ; M Baixa-Chiado ; V
Ce bistro ensoleillé attire les branchés de Santa Catarina avec son atmosphère bohème, son fond musical jazzy et ses plats comme les huîtres de l'Algarve. Des photos de plages ornent les tables.

CERVEJARIA TRINDADE
Portugais €€

☎ 213 423 506 ; Rua Nova da Trindade 20C ; 9h-2h ; M Baixa-Chiado
Cet ancien monastère du XIIIe siècle, reste un must pour sa bière mousseuse et son animation. Sous les *azulejos* représentant des moines en train de boire, commandez un ragoût d'écrevisses ou un énorme steak.

EL GORDO II *Tapas* €€

☎ 213 426 372 ; Travessa dos Fiéis de Deus 28 ; 17h-2h mar-dim ; M Baixa-Chiado
Élégant mais décontracté, le "Gros II" permet de dîner en terrasse sur ses marches pavées. Des couples dégustent des tapas arrosées de *tinto* (vin rouge) dans une lumière tamisée. Essayez les gâteaux de morue et les piments.

LISBOA Á NOITE
Portugais €€€

☎ 213 468 557 ; Rua das Gáveas 69 ; 19h30-minuit lun-jeu19h30-1h ven-sam ; M Baixa-Chiado
Très couru, le Lisboa á Noite offre un cadre orange et blanc, une lumière

Azulejos et *cerveja* (bière) dans le cadre ancien de la Cervejaria Trindade

douce et des photos de Lisbonne la nuit. La carte, variable selon la saison, fait la part belle au poisson. Les palourdes de l'Algarve au poulpe sont un régal.

LOURO & SA *Méditerranéen* €€

213 476 275 ; Rua da Atalaia 53 ; 19h30-minuit ; Baixa-Chiado

Les tables à touche-touche, la musique jazz et les serveurs souriants créent une ambiance chaleureuse. Une odeur d'ail sort de la cuisine, où l'on concocte des plats méditerranéens comme la sole à la ratatouille et les saucisses de gibier aux légumes sautés.

MAR ADENTRO *Café* €

213 469 158 ; Rua do Alecrim 35 ; 10h-23h dim-jeu, 13h-minuit ven-sam ; Cais do Sodré

Apprécié des gays, il arbore un style industriel tout en béton et acier. Les artistes en tout genre l'adorent pour ses petits-déjeuners, ses sandwichs (feta, poivron rouge et olives, par exemple) et sa Wi-Fi gratuite.

NOOD *Sushis* €

213 474 141 ; Largo Rafael Bordalo Pinheiro 20 12h-minuit dim-jeu, 12h-2h ven-sam ; Baixa-Chiado

Il faut faire la queue pour manger dans ce très chic japonais nouvellement ouvert, aux murs rouges et aux tables communes. Nouilles, sushis, yakitoris et sashimis, le tout très frais. Pas de réservations.

O BARRIGAS *Portugais* €€

213 471 220 ; Travessa da Queimada 31 ; 19h-1h jeu-mar ; Baixa-Chiado ; V

Un espace intime aux lumières douces, dont le nom signifie "les ventres" – justement, vous vous frotterez le vôtre après avoir commandé le *bacalhau espiritual* (soufflé de morue).

OLIVIER *Méditerranéen* €€€

213 431 405 ; www.restaurante-olivier.com ; Rua do Teixeira 35 ; 20h-1h lun-sam ; Baixa-Chiado

Premier des trois restaurants lisboètes du chef Olivier da Costa, voici un lieu cosy, avec ses plafonds bas, ses boiseries sombres et l'accueil chaleureux de Nathalie. Ne manquez pas le délicieux carpaccio de poulpe et *pata negra* (jambon fumé) au chutney de mangue. Voir l'interview p. 105.

PAP'AÇORDA *Portugais* €€€

213 464 811 ; Rua da Atalaia 57 ; 12h-14h et 20h-23h30 mar-sam ; Baixa-Chiado

Avec ses murs rose champagne et ses lustres en cristal, cette adresse semble trop sexy pour le Bairro. Spécialités de poisson, apportées par des serveurs grands, chauves et efféminés. Goûtez l'*açorda*, une soupe de pain, ail et fruits de mer servie dans une cocotte en terre.

PASTELARIA SÃO ROQUE
Pastelaria €

213 224 358 ; Rua Dom Pedro V 57 ; 7h-19h30 ; M Restauradores

Dans un décor d'opéra, avec miroirs, dorures et *azulejos* de toute beauté, prenez un siège pour déguster de délicieux petits gâteaux au beurre ou des *pastéis de nata* (tartelettes à la crème).

ROYALE CAFÉ *Café* €

213 469 125 ; Largo Rafael Bordalo Pinheiro 29 ; 10h-minuit lun-sam, 10h-20h dim ; M Baixa-Chiado ; V

Jolies mamans et journalistes adorent ce café élégant aux murs couleur henné et à l'éclairage glamour. Créez vos sandwichs avec des ingrédients comme le fromage des Açores et le chorizo à l'oignon. Les tartines au poivre rose et les milk-shakes papaye-menthe sont délicieux. Quand il fait soleil, installez-vous dans la cour plantée de vignes.

SUL *International* €€

213 462 449 ; Rua do Norte 13 ; 12h-2h mar-dim ; M Baixa-Chiado

Un lieu aux allures de galerie, éclairé par des lampes en forme d'œufs d'autruche, où manger du bœuf uruguayen sauce miel-moutarde ou, plus exotique, du steak de zèbre.

TAVARES RICO *Portugais* €€€

213 421 112 ; Rua da Misericórdia 37 ; 12h30-14h30 et 19h30-23h mar-sam ; M Baixa-Chiado

L'opulence des dorures et des lustres donne à ce restaurant du XVIIIe siècle des airs de salle de bal viennoise. Le chef José Avillez brille aussi, avec sa cuisine portugaise parfaitement préparée et présentée, comme le bar poché au safran et aux palourdes de l'Algarve.

PRENDRE UN VERRE

Le dédale des rues du Bairro Alto invite incontestablement à la tournée des bars, surtout autour de la Rua da Atalaia, de la Rua do Norte et de la Rua da Bica Duarte Belo. Plus de détails sur la vie nocturne p. 13.

A BRASILEIRA *Café*

213 469 547 ; Rua Garrett 120-122 ; 8h-2h ; M Baixa-Chiado

Dans un écrin Art déco avec débauche de dorures, de boiseries vert bouteille et d'immenses miroirs, A Brasileira est une institution qui existe depuis 1905. Buvez un *bica* (expresso) en terrasse à côté de la statue en bronze du poète Fernando Pessoa. Des musiciens ambulants passent en soirée.

L'ORIGINE DU *BICA*

Pour impressionner les Lisboètes, expliquez-leur la signification de *bica*, dont le nom vient du slogan accrocheur lancé par A Brasileira en 1905 : *beba isto com açucar* (buvez ceci avec du sucre). L'établissement voulait ainsi inciter les clients à boire des expressos – mission réussie, vu la foule qui s'y presse aujourd'hui.

BAIRRO ALTO HOTEL *Lounge*

213 408 288 ; Praça Luís de Camões 2 ; 12h30-minuit ; M Baixa-Chiado

Un ascenseur doré vous emmène au 6e étage du Bairro Alto Hotel, dont la terrasse est l'endroit idéal pour apprécier un verre de champagne et bavarder en regardant s'allumer les lumières de Lisbonne.

BEDROOM *Lounge*

213 463 028 ; Rua do Norte 86 ; 21h-3h mer-sam ; M Baixa-Chiado

Le papier peint doré brillant, les lustres et les confortables canapés drainent la jeunesse branchée. Lancez-vous sur la piste, où les DJ passent de la house mâtinée de musique électronique.

BICAENSE *Bar*

210 156 040 ; Rua da Bica Duarte Belo 42 ; 12h30-15h et 20h-2h lun-sam ; Elevador da Bica

Les jeunes branchés ne jurent que par ce bar décoré de vieilles radios et de gros poufs. On vient ici écouter des concerts et de la house avant de partir en discothèque.

CINCO LOUNGE

Bar à cocktails

213 424 033 ; Rua Ruben António Leitão 17 ; 21h-2h mar-sam ; M Restauradores

Après Londres et New York, le roi des shakers Dave Palethorpe a posé ses valises à Lisbonne. Essayez un Singapore Sling, un Milli Vanilli (mojito noisette-vanille) ou encore un Bloody Shame (bloody mary sans vodka). Un lieu décontracté, parfait pour boire et bavarder – canapés marron, bougies et petites touches dorées.

GINJINHA DAS GÁVEAS

Bar à ginjinha

Rua das Gáveas 17A ; 9h-3h lun-sam ; M Baixa-Chiado

Pour rencontrer de jeunes Lisboètes et d'autres voyageurs, cap sur ce minuscule bar, animé, amusant et bon marché (1 € pour une *ginjinha* ou une bière).

MAJONG *Bar*

213 421 039 ; Rua da Atalaia 3 ; 21h30-4h ; M Baixa-Chiado

Les gays sont les bienvenus. Lampes en feuilles de chou, murs rouge foncé, ambiance débraillée à l'ancienne, mojitos et DJ passant de la techno, du rock et du reggae.

NOOBAI CAFÉ *Bar*

213 465 014 ; www.noobaicafe.com ; Miradouro de Santa Catarina ; 12h-minuit ; Elevador da Bica

Un tour de magie à l'envers : on ne le voit pas, puis il apparaît. Descendez l'escalier pour découvrir une terrasse d'où la vue s'étend du château au Cristo Rei. Ajoutez une ambiance branchée, des *caipirinhas* redoutables, du jazz, et vous avez l'un des meilleurs bars de Lisbonne.

O'GÍLÍNS *Pub irlandais*

213 421 899 ; Rua dos Remolares 10 ; 11h-2h ; M Cais do Sodré

Le pub le plus sympa de la ville, qui sert encore aujourd'hui la meilleure Guinness à la pression de la ville et aussi du sport sur écran géant. En soirée, du mercredi au samedi : violons, chants et parfois danses sur les tables.

PAVILHÃO CHINÊS *Bar*

213 424 729 ; Rua Dom Pedro V 89-91 ; 16h-2h lun-sam ; 21h-2h dim ; Elevador da Glória

Le merveilleux bazar de Luís Pinto Coelho ravirait une pie voleuse, avec son hallucinante collection de masques vénitiens, d'Action Men, de maquettes d'avions et d'éventails espagnols. Buvez un porto ou jouez au billard dans ce mélange de palais et de grenier de grand-mère. L'addition est salée, mais justifiée.

L'incroyable bric-à-brac du Pavilhão Chinês

PORTAS LARGAS *Bar*

213 466 379 ; Rua da Atalaia 105 ; 19h-3h30 ; M Baixa-Chiado

Cet établissement ouvre ses *portas largas* (grandes portes) à un mélange de gays, d'hétéros et d'indécis qui viennent boire une *caipirinha* au bar ou dans la rue avant de partir en boîte.

SOLAR DO VINHO DO PORTO *Bar*

213 475 707 ; Rua São Pedro de Alcântara 45 ; 11h-minuit lun-ven, à partir de 14h sam ; Elevador da Glória

Asseyez-vous confortablement sous les poutres de cette demeure du XVIIIe siècle transformée en temple du porto pour déguster une sélection de vintage, de Tawny ou de Ruby.

 SORTIR

CATACUMBAS *Musique live*

213 463 969 ; Travessa da Água da Flor 43 ; prix d'entrée variable ; 22h-4h lun-sam ; M Baixa-Chiado

Lumières douces et portraits de légendes du jazz comme Miles Davis. Ce repaire bluesy est bondé de Lisboètes qui viennent écouter ses jam-sessions du jeudi soir.

FRÁGIL *Discothèque*

213 469 578 ; www.fragil.com.pt ; Rua da Atalaia 126 ; entrée gratuite-10 € ; 23h30-4h mar-sam ; M Baixa-Chiado

Le Frágil fait danser le Bairro Alto depuis 25 ans et ne montre aucun signe de fatigue. Petit et moite, le premier amour de Manuel Reis avant le Lux (p. 75) accueille les gays et quelques hétéros. Les DJ Kaspar et Rui Murka balancent de la house et de la musique électronique.

INCÓGNITO *Discothèque*

213 908 755 ; Rua dos Poiais de São Bento 37 ; 23h-4h mer-sam ; 49

Malgré sa petite taille et son absence d'enseigne, rythmes post-rock et pop alternative attirent les branchés de Santa Catarina. Allez danser au sous-sol ou prenez un cocktail au bar, à l'étage.

JAMAICA *Discothèque*

213 421 859 ; Rua Nova do Carvalho 8 ; entrée 2 € ; 23h-4h ; M Cais do Sodré

Dans ce quartier assez mal famé, le Jamaica a les faveurs d'une clientèle éclectique – gays, hétéros, et indifférents, blancs et noirs, qui viennent danser sur du reggae (Bob Marley, *naturalmente*) et du groove des années 1980. S'anime vraiment vers 2h.

MUSIC BOX *Musique live*

213 473 188 ; www.musicboxlisboa.com ; Rua Nova do Carvalho 24 ; entrée gratuite-6 € ; 23h-6h lun-sam ; M Cais do Sodré

Sous ses voûtes en brique, cette "boîte à musique" est en train de devenir le lieu le plus couru de Lisbonne pour ses concerts de rock, reggae, hip-hop et dance. DJ de prestige et ambiance agréable.

TEATRO NACIONAL DE SÃO CARLOS *Théâtre*

213 253 045 ; www.saocarlos.pt ; Rua Serpa Pinto 9 ; billets 30-70 € ; M Baixa-Chiado

Bâti dans les années 1790, l'opéra de Lisbonne est une explosion de rouge et or, de chérubins et de guirlandes. Programmation de très grande tenue (opéra, ballet, musique classique). La saison dure de septembre à juillet.

PRÍNCIPE GAY

Avec ses bars et ses discothèques, la Praça do Príncipe Real, juste au nord du Bairro Alto, occupe le devant de la scène gay et lesbienne. Voici nos adresses favorites :

Bar 106 (☎ 213 427 373 ; Rua de São Marçal 106 ; 21h-2h). Clientèle jeune et masculine, atmosphère décontractée et attractions déjantées comme la "soirée message" du dimanche.

Bar Água No Bico (☎ 213 472 830 ; Rua de São Marçal 170 ; 21h-2h). Ce bar chaleureux propose expositions, spectacles et fond sonore allant du jazz à la musique d'ambiance.

Bric-a-Bar (☎ 213 428 971 ; Rua Cecilio de Sousa 82 ; 21h-4h). Lieu de drague, doté d'une backroom et de DJ maison.

Memorial (☎ 213 968 891 ; Rua Gustavo de Matos Sequeira 42A ; entrée 5 € ; 23h-4h mar-dim). Une boîte essentiellement lesbienne, où écouter de la dance et voir des comiques et des spectacles de drag-queens.

Trumps (☎ 213 971 059 ; www.trumps.pt ; Rua da Imprensa Nacional 104B ; entrée 10 € ; 23h45-6h mar-dim). L'institution gay de Lisbonne, avec coins drague, belle piste de danse, concerts et spectacles de drag-queens.

ZÉ DOS BOIS *Musique live*

☎ 213 430 205 ; www.zedosbois.org ; Rua da Barroca 59 ; entrée 6-10 €; M Baixa-Chiado

L'avant-gardiste Zé dos Bois se nourrit des tendances théâtrales et musicales de demain. Avec sa cour couverte de tags et ses canapés râpés, il a notamment accueilli les groupes de rock new-yorkais Black Dice et Animal Collective.

>BAIXA ET ROSSIO

Redessinée selon un plan en damier par le marquis de Pombal après le séisme de 1755, la Baixa est coupée en deux par la Rua Augusta, qui relie la Praça do Comércio au quartier du Rossio. Malgré les innombrables boutiques de souvenirs et l'abondance de pigeon, difficile de ne pas aimer ce quadrillage de rues piétonnes où les vues superbes sur le fleuve font oublier les touristes armés d'appareils photos, et où la découverte d'authentiques trésors compense les sempiternels coqs en céramique.

Pour plonger dans la vie lisboète, le Rossio vous attend. Rafraîchissez-vous près des fontaines, admirez le château qui coiffe la colline et observez l'animation depuis la terrasse d'un café. Au crépuscule, les alentours du Largo de São Domingos fourmillent d'Africaines en costumes éclatants, de buveurs de *ginjinha* (liqueur de cerise), de casse-cou en skateboard évoluant sur la Praça da Figueira et d'artistes bohèmes qui se retrouvent dans des lieux comme le Crew Hassan.

BAIXA ET ROSSIO

VOIR

Arco da Victória ... **1** C5
Elevador de Santa Justa ... **2** B3
Igreja de São Domingos ... **3** C2
Núcleo Arqueológico ... **4** C4
Praça da Figueira ... **5** C3
Praça do Comércio ... **6** C5
Rossio ... **7** B3

SHOPPING

A Outra Face da Lua ... **8** C3
Azevedo Rua ... **9** B2
Conserveira de Lisboa ... **10** D5
Discoteca Amália ... **11** B3
Manuel Tavares ... **12** C3
Napoleão ... **13** D4
Rei do Bacalhau ... **14** B5
Sanrio Store ... **15** B4
Santos Ofícios ... **16** D4
Silva & Feijó ... **17** D5
Zotter ... **18** B3

SE RESTAURER

Bonjardim ... **19** B2
Café Buenos Aires ... **20** B3
Celeiro ... **21** B3
Confeitaria Nacional ... **22** C3
El Rei D'Frango ... **23** B3
Everest Montanha ... **24** C2
Fragoleto ... **25** C4
Martinho da Arcada ... **26** D5
Terreiro do Paço ... **27** C5

PRENDRE UN VERRE

A Ginjinha ... **28** B2
Ginjinha Rubi ... **29** C2
Néctar Wine Bar ... **30** C4

SORTIR

Bacalhoeiro ... 31 D5
Coliseu dos Recreios ... 32 B1
Crew Hassan ... 33 B1
Teatro Nacional D Maria II ... 34 B2
ViniPortugal ... 35 C5

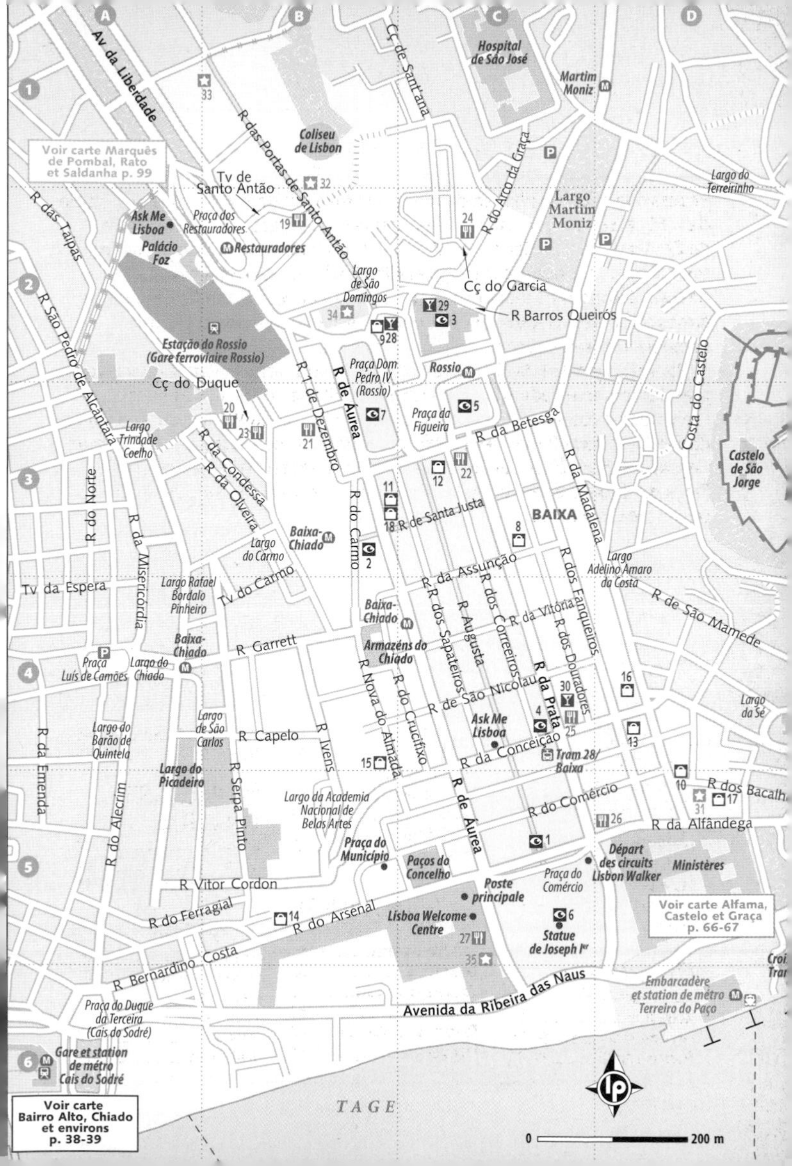

A
B
C
D
1
2
3
4
5
6
Av da Liberdade
Cç de Sant'ana
Hospital de São José
Martim Moniz
R das Portas de Santo Antão
Coliseu de Lisbon
Voir carte Marquês de Pombal, Rato et Saldanha p. 99
Tv de Santo Antão
Praça dos Restauradores
Restauradores
R do Arco da Graça
Largo Martim Moniz
Largo do Terreirinho
R das Taipas
Ask Me Lisboa
Palácio Foz
Largo de São Domingos
Cç do Garcia
R Barros Queirós
R São Pedro de Alcântara
Estação do Rossio (Gare ferroviaire Rossio)
Cç do Duque
R 1 de Dezembro
R de Áurea
Praça Dom Pedro IV (Rossio)
Rossio
Praça da Figueira
Costa do Castelo
R da Betesga
Largo Trindade Coelho
R da Condessa
R da Olveira
R do Carmo
R de Santa Justa
R da Madalena
Castelo de São Jorge
R do Norte
R da Misericórdia
BAIXA
Baixa-Chiado
Largo do Carmo
Largo Adelino Amaro da Costa
Tv da Espera
Largo Rafael Bordalo Pinheiro
Tv do Carmo
R da Assunção
R dos Sapateiros
R Augusta
R dos Correeiros
R da Vitória
R dos Douradores
R dos Fanqueiros
R de São Mamede
Armazéns do Chiado
R Garrett
Praça Luís de Camões
Largo do Chiado
R Nova do Almada
R do Crucifixo
R da Prata
R de São Nicolau
Largo da Sé
Largo de São Carlos
R Capelo
R Ivens
Largo do Barão de Quintela
R da Emenda
Largo do Picadeiro
R Serpa Pinto
R da Conceição
Tram 28/ Baixa
R dos Bacalh
Largo da Academia Nacional de Belas Artes
R do Comércio
R da Alfândega
R do Alecrim
Praça do Município
Paços do Concelho
Départ des circuits Lisbon Walker
Ministères
R Vitor Cordon
Poste principale
Praça do Comércio
R do Ferragial
R do Arsenal
Lisboa Welcome Centre
Voir carte Alfama, Castelo et Graça p. 66-67
Statue de Joseph Ier
R Bernardino Costa
Avenida da Ribeira das Naus
Embarcadère et station de métro Terreiro do Paço
Praça do Duque da Terceira (Cais do Sodré)
Gare et station de métro Cais do Sodré
TAGE
Voir carte Bairro Alto, Chiado et environs p. 38-39
0
200 m

VOIR

ELEVADOR DE SANTA JUSTA

213 613 054 ; Rua de Santa Justa ; 2,70 € ; 7h-21h, 7h-23h en été ; M Baixa-Chiado

Si cet ascenseur en fer forgé ressemble à la tour Eiffel, c'est parce qu'il est l'œuvre de Raoul Mesnier du Ponsard, un élève du grand Gustave. Cette structure néogothique s'élève à 45 m au-dessus de la Baixa jusqu'à une terrasse offrant une vue panoramique sur Lisbonne et le Tage. Venez tôt pour éviter la foule, ou la nuit pour le voir éclairé d'une lumière dorée.

IGREJA DE SÃO DOMINGOS

Église Saint-Dominique ; Largo de São Domingos ; entrée libre ; 7h30-19h ; M Rossio ;

Victime du séisme de 1755, puis d'un incendie en 1959, c'est un miracle que cette église soit encore debout. À l'intérieur, des bougies vacillantes éclairent des piliers balafrés et des sculptures délicates. La communauté africaine de Lisbonne aime se retrouver sur l'esplanade.

LA MODE AU MUDE

Fin 2009, le nouveau musée du design et de la mode, le Museu do Design (MUDE), ouvrira ses portes dans la Rua Augusta. Basé sur l'exceptionnelle collection de Francisco Capelo, il présentera les créations de célèbres architectes, designers et couturiers, tels que Le Corbusier, Frank Gehry, Philippe Starck, John Galliano et Comme des Garçons. Les détails sont encore flous, mais vous pouvez vous tenir au courant sur le www.mude.pt.

NÚCLEO ARQUEOLÓGICO

Centre archéologique ; 213 211 700 ; Rua dos Correeiros 9 ; visites gratuites ; 15h-17h mer, 10h-12h et 15h-17h sam ; M Baixa-Chiado

Découvrez les entrailles de Lisbonne dans la Banco Comercial Português, dont les galeries souterraines seraient les vestiges de thermes romains du Ier siècle. Téléphonez pour réserver.

PRAÇA DA FIGUEIRA

M Rossio

Comme sa voisine, le Rossio, la Praça da Figueira se distingue par son intense circulation automobile et ses édifices bourgeois. Au centre s'élève la statue du roi Jean Ier, jadis célébré pour ses conquêtes en Afrique au XVe siècle, et aujourd'hui la cible des pigeons et des jeunes en skate-board. Attablez-vous à une terrasse de café pour manger un gâteau, prendre le soleil et photographier le Castelo de São Jorge (p. 65).

PRAÇA DO COMÉRCIO

M Terreiro do Paço

Œuvre phare du marquis de Pombal, cette grandiose place arbore

LES NOMS DES RUES

Lorsque le marquis de Pombal redessina l'architecture de la Baixa après le séisme de 1755, il baptisa les rues d'après les corps de métier qu'elles abritaient : *sapateiros* (cordonniers), *correeiros* (selliers), *douradores* (orfèvres), *fanqueiros* (couteliers), *ouro* (or), *prata* (argent) et même *bacalhoeiros* (morutiers). Partez les explorer, car certaines conservent la trace de ce lointain passé.

fièrement ses bâtiments couleur citron du XVIIIe siècle et ses arcades avec vue sur le Tage. Admirez notamment le majestueux Arco da Vitória de Verissimo da Costa, un arc de triomphe où trônent de grands personnages comme Vasco de Gama et qui conduit à la Rua Augusta.

ROSSIO

Praça Dom Pedro IV ; M Rossio

Surnommée Rossio, la Praça Dom Pedro IV vibre d'animation, avec son incessant ballet de cireurs de chaussures, de vendeurs de billets de loterie et d'employés de bureau. Ses pavés ont tout vu : sorcières brûlées sur le bûcher, corridas, rassemblements, et manifestations de la révolution des œillets en 1974 (p. 146). Le premier empereur du Brésil, Pierre IV, trône sur son piédestal de marbre, et l'Estação do Rossio de style néomanuélin, d'où partent les trains pour Sintra (p. 124), dresse ses arcs en fer à cheval et ses tourelles ornementées.

SHOPPING

A OUTRA FACE DA LUA

Mode vintage

☎ 218 863 430 ; Rua da Assunção 22 ; 10h-20h lun-sam ; M Rossio

Hippies et sosies de Suzi Quatro viennent faire leurs emplettes dans cette boutique pleine de chaussures à semelles compensées, de doudounes pailletées, de corsets et de vieilles Barbie. Le café permet de faire une pause devant un thé.

AZEVEDO RUA

Mode et accessoires

☎ 213 427 511 ; Praça Dom Pedro IV 73 ; 9h30-19h lun-ven, 9h30-13h sam ; M Rossio

Bérets et panamas, casquettes et bonnets : la plus grande chapellerie de Lisbonne couvre les têtes depuis 1886. Le service désuet, les chapeaux dignes d'Ascot et les cannes à la Fred Astaire donnent l'impression de remonter dans le temps.

CONSERVEIRA DE LISBOA

Épicerie fine

☎ 218 864 009 ; Rua dos Bacalhoeiros 34 ; 9h-19h lun-ven, 9h30-13h sam ; 28

Comme il convient, la Rua dos Bacalhoeiros (rue des morutiers) abrite une boutique de conserves de poisson, ouverte dans les années 1930. De charmantes vieilles dames s'activent sur une caisse enregistreuse d'époque et enveloppent comme autrefois sardines, thons et morues. Notez la blancheur du sourire de la jeune fille sur les étiquettes Tricana…

DISCOTECA AMÁLIA

Musique

213 421 485 ; Rua de Áurea 272 ; 9h30-19h lun-ven, 9h30-13h sam ; M Rossio

Petit magasin à la gloire de la *fadista* Amália Rodrigues, avec un bon choix de fado et de musique classique.

MANUEL TAVARES

Épicerie fine

213 424 209 ; Rua da Betesga 1A ; 9h30-19h30 lun-sam ; M Rossio

Derrière sa façade en bois, ce magasin ravit les fins gourmets depuis 1860 grâce à ses jambons fumés, ses fromages, sa *pata negra* (jambon sec) et sa *ginjinha* (liqueur de cerise).

NAPOLEÃO *Vins*

218 861 108 ; Rua dos Fanqueiros 70 ; 9h30-20h lun-sam, 12h-19h dim ; 28

Vous trouverez ici, toutes sortes de crus portugais, vins de l'Alentejo aux saveurs d'agrumes, vins du

Le paradis des gourmands – les produits d'alimentation de Manuel Tavares

LE CHANT DU COQ

La Rua Augusta est pleine de boutiques de souvenirs vendant trams en miniature, tee-shirts "I love Pessoa", caleçons ornés des principaux sites lisboètes et, bien sûr, l'incontournable Galo de Barcelos. Ce coq symbole du Portugal, qui apparaît sur les serviettes de table, les porte-clés, les dessous de verre et les montres, est le souvenir par excellence. Le volatile vous sort par les yeux ? Ayez une pensée émue pour les habitants de Barcelos, sa ville d'origine, où la légende raconte qu'un pèlerin condamné à mort pour un vol prouva son innocence en faisant chanter *có-ró-có-có* à un coq rôti.

Douro et portos. On vous fera peut-être goûter gratuitement. Commandes expédiées dans le monde entier.

REI DO BACALHAU

Épicerie fine

110 Rua do Arsenal ; 8h-19h lun-sam ; M Terreiro do Paço

Au "roi de la morue", le *bacalhau* séché et salé s'achète au poids. Succomberez-vous au charme des langues et des nageoires de morue en conserve ?

SANRIO STORE

Cadeaux et souvenirs

347 60 70 ; Rua Nova do Almada 15 ; 10h-19h30 ; M Baixa-Chiado

Un immense chat clignotant marque l'entrée de ce magasin rose bonbon où les fans de Hello Kitty ronronnent devant les gadgets, les vêtements, les services à thé.

SANTOS OFÍCIOS

Cadeaux et souvenirs

218 872 031 ; Rua da Madalena 87 ; 10h-20h lun-sam ; 28

Pour l'artisanat portugais, rien ne vaut cette boutique qui vend de la dentelle de Madère, des céramiques vernissées, des scènes de la nativité et des *azulejos*.

SILVA & FEIJÓ *Épicerie fine*

Rua dos Bacalhoeiros 117 ; 10h-13h et 14h30-19h30 lun-sam ; 28

Les pique-niqueurs viennent dans cette épicerie acheter des délices comme : pâté de sardines, pain de seigle, *salsichas* (saucisses) aux herbes et fromage de brebis des montagnes de Seia.

DE FIL EN AIGUILLE

Dans la Rua da Conceição, les nombreuses petites merceries aux boiseries sombres vendant des boutons, des rubans et des bobines de fil de toutes les couleurs rappellent une époque où l'on ravaudait encore ses bas. Nos adresses préférées sont Nardo au n°62, Alexandre Bento au n°69 et Botão Dourado au n°115. Cette rue, la plus charmante de la Baixa, offre un havre de paix après les trottoirs encombrés des artères commerçantes.

ZOTTER *Épicerie fine*

213 462 253 ; Rua de Santa Justa 84 ; 8h-19h lun-sam ; M Rossio

Oubliez les régimes ! Ce chocolatier autrichien promet de *faz te feliz* (vous rendre heureux) avec ses plaques de chocolat : amer, à la *ginjinha* (liqueur de cerise), aux noisettes, à la crème de citron, ou encore – tenez-vous bien – au tofu.

SE RESTAURER

Les pavés de la Calçada do Duque permettent de dîner en plein air, avec le château éclairé en toile de fond. Très animée, la Rua das Portas de Santo Antão compte de bons petits bistros où manger du poisson en terrasse.

BONJARDIM *Portugais* €

213 424 389 ; Travessa de Santo Antão 11 ; 12h-23h ; M Restauradores

Le meilleur poulet rôti de Lisbonne, servi avec des frites et de la salade. Prenez place à la terrasse pour un festin de *frango* (poulet). Si vous aimez les plats épicés, demandez du *piri-piri*.

CAFÉ BUENOS AIRES *International* €€

342 07 39 ; Calçada do Duque 31 ; 18h-1h lun-sam ; M Rossio

Le café le plus branché du Rossio. Dans ce cadre bourgeois bohème, à la lueur des bougies d'ambiance, on mange de juteux steaks argentins et du gâteau au chocolat accompagné de *dulce de leche* (lait caramélisé). Quant à la vue, elle est splendide.

CELEIRO *Café* €

213 422 463 ; Rua 1 de Dezembro 65 ; 8h30-20h lun-ven, 8h30-19h sam ; M Rossio ; V

Faites le plein de fruits et légumes dans ce café vitaminé à quelques pas du Rossio, très apprécié à midi pour ses plats végétariens à bas prix (quiches, pizzas...).

CONFEITARIA NACIONAL *Pastelaria* €

213 461 720 ; Praça da Figueira 18 ; 8h-20h lun-sam ; M Rossio

Si les biscuits aux amandes, les macarons et les pastéis de nata présentés en devanture ne vous

BONS PLANS

Certes, de nombreux restaurants de la Rua Augusta servent une cuisine médiocre et surfacturée, mais à quelques pas de là, loin des hordes de touristes, quelques rues plus calmes comptent des bistros et des grills d'un bien meilleur rapport qualité/prix. Voyez les cafés de la Rua dos Correeiros pour manger un plat portugais en terrasse, essayez les restaurants de curry de la Rua dos Sapateiros pour déjeuner d'un *balti*, ou laissez-vous guider par vos envies.

Que choisir ? Douceurs et friandises à la Confeitaria Nacional

attirent pas à l'intérieur, l'odeur du *bica* (expresso) fraîchement torréfié le fera. Cette pâtisserie décorée de stuc satisfait les gourmands depuis 1829.

EL REI D'FRANGO

Portugais €

213 424 066 ; Calçada do Duque 5 ; 9h-20h30 lun-sam ; M Rossio

Le secret le mieux gardé de Lisbonne : une adresse d'aspect banal où Luciana et Carla servent d'énormes grillades de saumon ou des *febras* (escalopes de porc). On repart le ventre plein en titubant sur les pavés de la Calçada do Duque.

EVEREST MONTANHA

International €

218 876 428 ; Calçada do Garcia 15 ; 11h30-15h30 et 19h-minuit ; V

Ici, la cuisine atteint des sommets himalayens, notamment les *pakora* népalais, les *gobi* et le *lassi* à la mangue. À ne pas manquer : l'agneau *korma* et le curry de poisson.

FRAGOLETO *Glacier* €

218 877 971 ; Rua da Prata 74 ; 9h-20h lun-sam ; M Baixa-Chiado ; V

Les *gelati* les plus savoureux du pays. Manuela Carabina fabrique de vraies crèmes glacées avec des fruits frais de saison. Nos parfums préférés : pistache, thé vert et baies sauvages.

MARTINHO DA ARCADA

Portugais €€€

☎ 218 879 259 ; Praça do Comércio 37 ; 8h-22h ; M Terreiro do Paço

Jadis fréquenté par le poète Fernando Pessoa, ce restaurant fait partie du paysage depuis 1782. Observez les passants en savourant un copieux steak au poivre ou une *cataplana* (ragoût de fruits de mer).

TERREIRO DO PAÇO

Portugais moderne €€€

☎ 210 312 850 ; Praça do Comércio ; 12h30-15h et 20h-23h lun-ven, sam dîner uniquement ; M Terreiro do Paço

Sur la place, ce restaurant voûté en brique faisait autrefois partie du palais royal. Ici, le chef primé Vítor Sobral réinvente la cuisine portugaise : canard caramélisé aux bananes cuites ou thon des Açores avec soufflé au gingembre.

PRENDRE UN VERRE

Les minuscules bars à *ginjinha* du Rossio débordent d'atmosphère. Mais, si vous voulez plus sérieusement faire la fête, grimpez les marches qui montent au Bairro Alto.

A GINJINHA *Bar à ginjinha*

Largo de São Domingos 8 ; 9h-22h30 ; M Rossio

Grand comme un timbre-poste, il enivre les clients depuis les années 1840, comme l'atteste le sol le plus poisseux de la ville. L'inventeur de la célèbre boisson, l'Espinheiro, trône au-dessus de la porte. Plus de détails p. 16.

GINJINHA RUBI *Bar à ginjinha*

Rua Barros Queirós 2 ; 7h-minuit ; M Rossio

Venez papoter avec les habitués devant deux ou trois *ginjinhas* en admirant les *azulejos*.

NÉCTAR WINE BAR *Bar à vins*

☎ 912 633 368 ; Rua dos Douradores 33 ; 12h30-15h et 18h-23h lun-jeu, 12h30-15h et 18- minuit ven-sam ; M Baixa-Chiado

Si le vin est le nectar des dieux, ce bar est sacré. Musique funky, œuvres d'art aux murs et ambiance décontractée attirent les jeunes Lisboètes venus siroter un blanc, un rouge ou un porto. Salade de poulpe et saucisses de gibier délicieuses.

SORTIR

BACALHOEIRO

Culture alternative

☎ 218 864 891 ; 2e étage, Rua dos Bacalhoeiros 125 ; adhésion 5 € ; 18h-2h mar-dim ; 18h-4h ven-sam ; 28

On a l'impression de s'inviter à une fête privée. Une fois payée l'adhésion, à vous les concerts alternatifs, les projections de films, et les soirées salsa ou à thème, comme l'Intergalactic Star Wars (kitsch et musique électronique des années 1980). Wi-Fi gratuite.

COLISEU DOS RECREIOS

Salle de concert

213 240 580 ; www.coliseulisboa.com ; Rua das Portas de Santo Antão 96 ; billets 15-240 €; M Restauradores

Cette salle de qualité accueille des concerts, de l'opéra, du théâtre et de la danse. On y a vu des stars comme la *fadista* Ana Moura, le groupe de rock industriel Nine Inch Nails et l'enfant terrible du flamenco Rafael Amargo.

CREW HASSAN

Culture alternative

213 466 119 ; www.crewhassan.org ; 1e étage, Rua das Portas de Santo Antão 159 ; entrée gratuite/5 € ; 22h-2h ; M Restauradores ; V

Grunge, non conformiste et anticapitaliste, le Crew Hassan est incontestablement apprécié pour ses tags, ses canapés usés, son accès Internet gratuit et ses plats végétariens bon marché. Au programme : films, expositions, concerts, et DJ passant aussi bien de la techno minimaliste que du reggae.

L'ÂGE DES TÉNÈBRES

Rien, dans la grandeur néoclassique du Teatro Nacional D. Maria II, ne laisse entrevoir son sinistre passé en tant que Palácio dos Estaus, siège de l'Inquisition portugaise à partir de 1540. Ceux qui étaient reconnus coupables d'hérésie et de sorcellerie ou pratiquaient le judaïsme étaient publiquement exécutés sur la place du Rossio ou dans le Largo de São Domingos. Si le roi Jean III, surnommé *o Piedoso* (le Pieux), lança l'Inquisition en 1536, la persécution des juifs avait commencé avant cela : ainsi, l'étoile de David, devant l'Igreja de São Domingos (p. 54), marque le lieu d'un sanglant massacre en 1506.

TEATRO NACIONAL D MARIA II *Théâtre*

213 250 835 ; www.teatro-dmaria.pt ; Praça Dom Pedro IV ; billets 8-16 € ; M Rossio

Ce théâtre néoclassique a surgi tel un phénix des cendres du Palácio dos Estaus, siège de l'Inquisition portugaise (voir l'encadré ci-dessus). Sous-financé, il offre une programmation pas toujours très satisfaisante.

VINIPORTUGAL *Vin*

213 420 690 ; www.viniportugal.pt ; Praça do Comércio ; 11h-19h mar-sam ; M Terreiro do Paço

Une excellente idée pour promouvoir le vin portugais. Dans une salle fraîche et voûtée, vous dégusterez gratuitement toutes sortes de crus, blancs de l'Alentejo aux saveurs de pamplemousse ou vins du Douro ronds en bouche. Les employés donnent des informations, aident à choisir et sont ouverts à la discussion.

PROMENADE

DE LA BAIXA AU CHIADO

Partez de la **Praça do Comércio** (**1**, p. 54), le cœur de ville, où les sonnettes des trams se mêlent aux accords de guitare des musiciens ambulants. Flânez sous les arcades, admirez les édifices couleur citron et entrez à **ViniPortugal** (**2**, p. 61) pour une dégustation gratuite. Ensuite, prenez la pose devant l'arc de triomphe, puis franchissez-le pour atteindre la **Rua Augusta** (**3**, p. 57), bordée de boutiques chics et de magasins de souvenirs. Achetez un coq, imprégnez-vous de l'animation, puis, en arrivant dans la Rua de Santa Justa, remarquez à gauche l'**Elevador de Santa Justa** (**4**, p. 54), un ascenseur vertical inspiré de la tour Eiffel qui offre une vue saisissante sur la ville. Suivez la Rua de Santa Justa à l'est, puis la Rua da Prata au nord jusqu'à la **Praça da Figueira** (**5**, p. 54), avec ses gamins en skateboard, ses demeures élevées par Pombal et sa vue sur le Castelo de São Jorge. Reprenez des forces avec un *bica* et un *pastéi* à la **Confeitaria Nacional** (**6**, p. 58), nostalgique vestige du XIXe siècle. Rejoignez le **Rossio** (**7**, p. 55) et arpentez ses pavés inégaux pour voir les fontaines gargouillantes, les colonnes néoclassiques du **Teatro Nacional D. Maria II** (**8**, p. 61), les tourelles ornementées et les arcs en fer à cheval de l'**Estação do Rossio** (**9**, p. 55), de style néomanuélin. Remontez la Calçada do Carmo vers l'ouest jusqu'au Largo do Carmo, une place tranquille où l'on vient boire un café ou jouer aux cartes et où les jacarandas se couvrent de fleurs pourpres en hiver. Ici, le **Convento do Carmo** (**10**, p. 37) offre un spectacle saisissant, avec ses arcades et ses piliers exposés aux éléments, et abrite un musée où figurent de sinistres momies péruviennes. Traversez la place vers la Rua da Trindade pour voir la **Casa do Ferreira das Tabuletas** (**11**, p. 137) de 1864 et ses *azulejos* représentant des figures allégoriques et des symboles. Vous arriverez au Largo Rafael Bordalo Pinheiro à temps pour déjeuner au **Royale Café** (**12**, p. 47), apprécié des artistes. Composez vous-même votre sandwich, puis, par temps chaud, asseyez-vous dans la cour plantée de vignes. Revigoré, flânez dans la Rua Serpa Pinto en admirant les gracieuses arcades de l'élégant opéra du Chiado, le **Teatro Nacional**

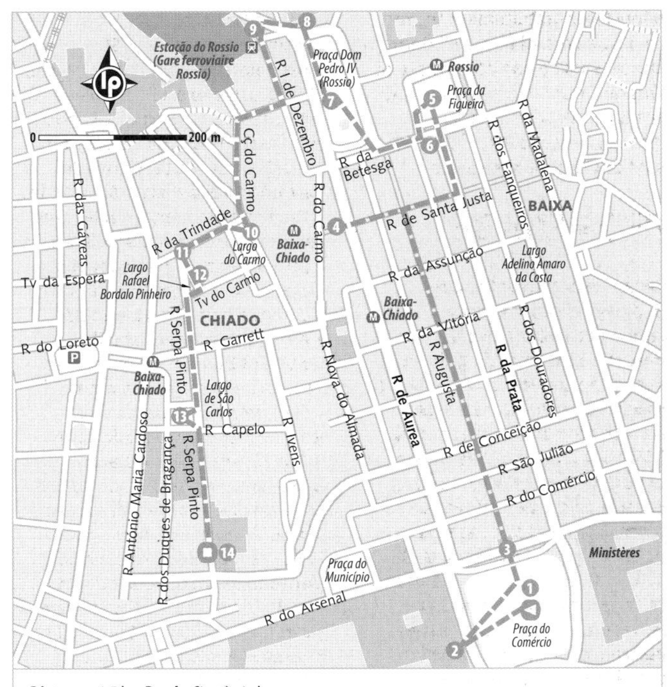

Distance 4,5 km **Durée** Cinq à six heures
▶ **Départ** Praça do Comércio ● **Arrivée** Museu do Chiado

de São Carlos (**13**, p. 50) du XVIIIe siècle. Continuez jusqu'au **Museu do Chiado** (**14**, p. 40), un ancien couvent, pour finir l'après-midi devant des œuvres originales de Rodin et de Jorge Vieira.

>ALFAMA, CASTELO ET GRAÇA

Les immenses remparts du Castelo de São Jorge dominent l'Alfama, un quartier où se révèle l'héritage maure de Lisbonne. Une balade à travers ses *becos* (allées) escarpées, ses places plantées de palmiers et ses ruelles tortueuses réserve de multiples découvertes : la lumière qui joue sur les façades pastel, un *miradouro* (belvédère) d'où l'on découvre le rouge foncé des toits et le bleu du Tage, la résonance des conversations des *Alfacinhas* (les habitants du quartier), le linge qui sèche aux fenêtres, le poisson qui grille, les sons mélancoliques du fado. Pour plus de détails, voir p. 11.

Au nord, dans la verdoyante Graça, les coupoles blanches du Panteão Nacional et de l'Igreja de São Vicente da Fora se détachent sur le ciel. Admirez-les depuis les hauteurs du Miradouro da Senhora do Monte, avant de descendre vers Santa Apolónia, où le restaurant Bica do Sapato et la discothèque Lux vous feront reprendre pied dans le XXIe siècle.

ALFAMA, CASTELO ET GRAÇA

VOIR

- Casa dos Bicos **1** C5
- Castelo de São Jorge **2** C4
- Igreja de São Vicente de Fora **3** E3
- Largo das Portas do Sol **4** D4
- Miradouro da Graça **5** D2
- Miradouro da Senhora do Monte **6** C1
- Miradouro de Santa Luzia **7** D4
- Museu de Artes Decorativas **8** D4
- Museu do Fado **9** E4
- Museu do Teatro Romano **10** C5
- Olisipónia **11** C3
- Panteão Nacional **12** F3
- Sé **13** C5

SHOPPING

- A Arte da Terra **14** C5
- Articula **15** E4
- Feira da Ladra **16** F2
- Garrafeira da Sé **17** D5
- Ponte Lisboa **18** C5

SE RESTAURER

- Bica do Sapato **19** G3
- Botequim São Martinho **20** D5
- Casanova **21** G3
- Divinha Sedução **22** D5
- Grelhador de Alfama **23** E4
- O Faz Figura **24** F3
- Pois Café **25** D5
- Porta d'Alfama **26** D5
- Restô **27** C4
- Santo Antonio de Alfama **28** D4
- Senhora Mãe **29** D4
- Viagem de Sabores **30** C5

PRENDRE UN VERRE

- Bar das Imagens **31** C4
- Ginja D'Alfama **32** E4
- Última Sé **33** C5

SORTIR

- A Baîuca **34** D4
- Chapitô **35** C4
- Clube de Fado **36** D5
- Lux **37** G3
- Mesa de Frades **38** E4
- Onda Jazz **39** D5
- Parreirinha de Alfama **40** E4

Voir carte p. 66-67

VOIR

CASA DOS BICOS

☎ 218 810 900 ; Rua dos Bacalhoeiros ; fermée au public ; 28

Ancienne résidence de la famille d'Afonso de Albuquerque, gouverneur des Indes, cette demeure du XVIe siècle évoque un hérisson, avec sa façade où font saillie 1 125 pierres taillées en forme de pyramide. Elle abrite un organisme privé, mais si l'entrée est ouverte, vous pourrez apercevoir les vestiges des vieilles murailles maures de la ville.

CASTELO DE SÃO JORGE

Château Saint-Georges ; ☎ 218 800 620 ; www.castelosaojorge.egeac.pt ; adulte/– de 10 ans/réduction 5/gratuit/2,50 € ; 9h-21 mars-oct, 9h-18h nov-fév ; 28

Dominant Lisbonne, cette forteresse arabe apparaît sur toutes les photos. Maures au IXe siècle, croisés en 1147, rois portugais et prisonniers se sont succédé ici. Allez vous balader sur les remparts et dans les cours bordées de pins pour admirer la vue splendide. Près de l'entrée, l'**Olisipónia** (9h-20h30 mars-oct, 9h-17h30 nov-fév) retrace l'histoire de Lisbonne en passant sous silence certains épisodes peu reluisants, comme la traite des esclaves.

IGREJA DE SÃO VICENTE DA FORA

☎ 218 824 400 ; Largo de São Vicente ; adulte/enfant 4/2 € ; 10h-18h mar-dim ; 28

À l'écart de l'agitation, ce monastère du XIIe siècle fut rebâti après s'être effondré sur les fidèles lors du séisme de 1755 (p. 145). Il abrite un paisible cloître aux superbes *azulejos* blanc et bleu, notamment le portrait d'une femme voilée montant la garde dans un mausolée

VUE PLONGEANTE SUR LISBONNE

L'Alfama et la Graça comptent de vertigineux *miradouros* (belvédères) dont chacun offre un panorama un peu différent sur Lisbonne. Voici nos préférés :

Largo das Portas do Sol. Cette porte de l'époque maure est parfaite pour saisir en photo les maisons pastel de l'Alfama.

Miradouro de Santa Luzia. Centré autour d'une fontaine et drapé de bougainvilliers, ce belvédère donne sur les toits de l'Alfama.

Miradouro da Graça. Les jeunes Lisboètes se retrouvent au crépuscule sur cette place bordée de palmiers pour prendre un verre et admirer la vue sur le centre-ville.

Miradouro da Senhora do Monte. Dans une ambiance décontractée, le plus haut belvédère de Lisbonne bénéficie d'une vue époustouflante sur le château.

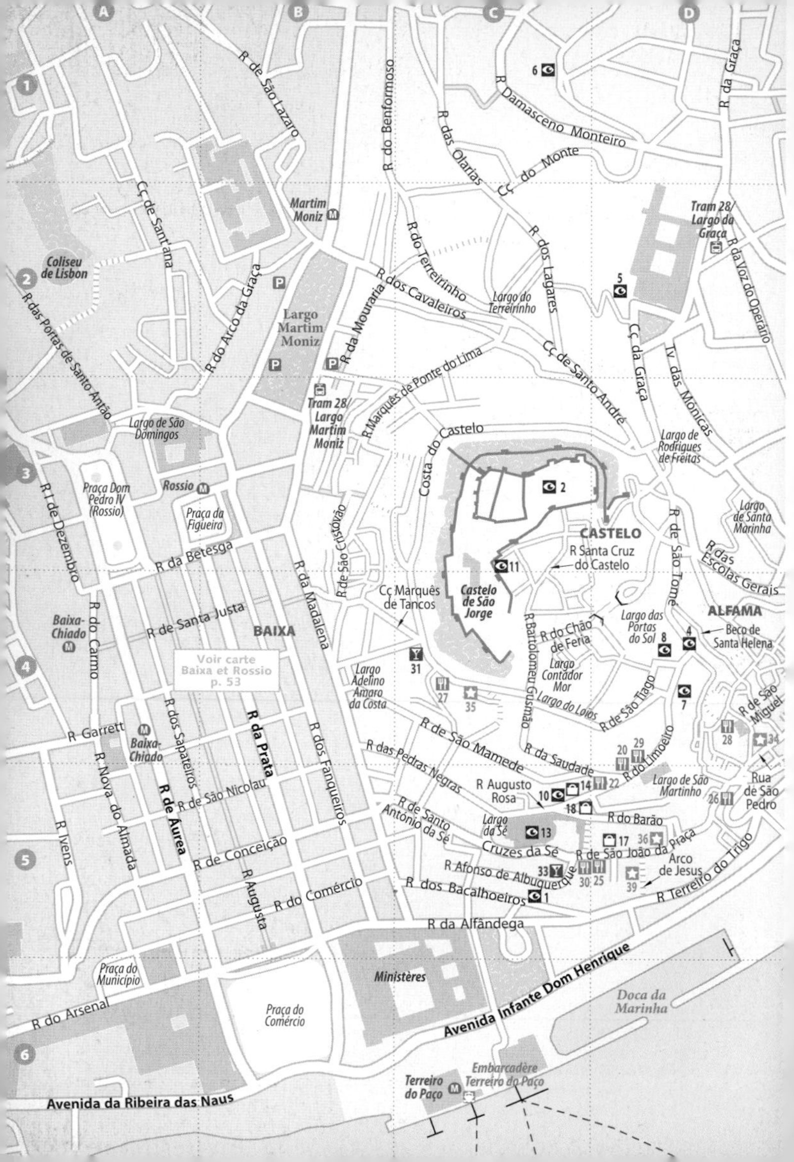
A
B
C
D
1
2
3
4
5
6
R de São Lazaro
R do Benformoso
R Damasceno Monteiro
R da Graça
R das Olarias
Cç do Monte
Cç de Sant'ana
Martim Moniz
Tram 28/ Largo da Graça
R da Voz do Operário
Coliseu de Lisbon
R das Portas de Santo Antão
R do Arco da Graça
R do Terreirinho
R dos Lagares
R dos Cavaleiros
Largo do Terreirinho
Largo Martim Moniz
R da Mouraria
Cç da Graça
Tv das Mónicas
Cç de Santo André
R Marquês de Ponte do Lima
Tram 28/ Largo Martim Moniz
Largo de São Domingos
Costa do Castelo
Largo de Rodrigues de Freitas
Praça Dom Pedro IV (Rossio)
Rossio
R I de Dezembro
Praça da Figueira
R de São Cristóvão
CASTELO
Largo de Santa Marinha
R de São Tomé
R das Escolas Gerais
R da Betesga
R da Madalena
R Santa Cruz do Castelo
Cç Marquês de Tancos
Castelo de São Jorge
ALFAMA
Baixa-Chiado
R do Carmo
R de Santa Justa
BAIXA
R Bartolomeu Gusmão
R do Chão de Feria
Largo das Portas do Sol
Beco de Santa Helena
Voir carte Baixa et Rossio p. 53
Largo Adelino Amaro da Costa
Largo Contador Mor
Largo do Loios
R de São Tiago
R de São Miguel
R Garrett
Baixa-Chiado
R dos Sapateiros
R da Prata
R dos Fanqueiros
R de São Mamede
R das Pedras Negras
R da Saudade
R do Limoeiro
R Nova do Almada
R de Áurea
R de São Nicolau
R Augusto Rosa
Largo de São Martinho
Rua de São Pedro
R Ivens
R de Santo António da Sé
Largo da Sé
R do Barão
R de Conceição
R Augusta
Cruzes da Sé
R de São João da Praça
Arco de Jesus
R Afonso de Albuquerque
R Terreiro do Trigo
R do Comércio
R dos Bacalhoeiros
R da Alfândega
Praça do Município
Ministères
Avenida Infante Dom Henrique
Doca da Marinha
R do Arsenal
Praça do Comércio
Terreiro do Paço
Embarcadère Terreiro do Paço
Avenida da Ribeira das Naus

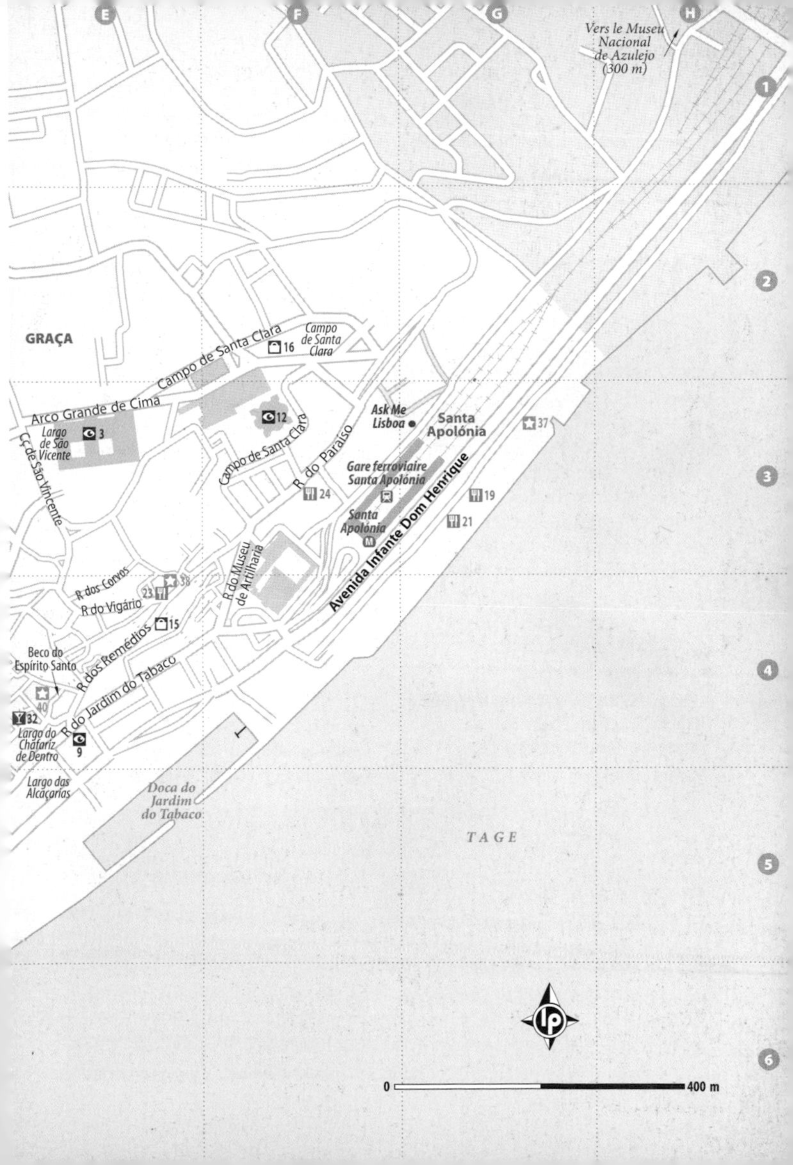
E
F
G
H
Vers le Museu Nacional de Azulejo (300 m)
1
2
3
4
5
6
GRAÇA
Campo de Santa Clara
16
Campo de Santa Clara
Arco Grande de Cima
12
Largo de São Vicente
3
Cç de São Vincente
Campo de Santa Clara
R do Paraíso
Ask Me Lisboa
Santa Apolónia
37
Gare ferroviaire Santa Apolónia
Avenida Infante Dom Henrique
24
19
21
Santa Apolónia
R dos Corvos
38
23
R do Vigário
R do Museu de Artilharia
R dos Remédios
15
Beco do Espírito Santo
R do Jardim do Tabaco
40
32
Largo do Chafariz de Dentro
9
Largo das Alcaçarias
Doca do Jardim do Tabaco
TAGE
0
400 m

et des panneaux illustrant les fables de La Fontaine, comme *L'Âne et le Petit Chien*. La tour offre une vue magnifique sur l'Alfama et le fleuve.

MUSEU DE ARTES DECORATIVAS

Musée des Arts décoratifs ; ☎ 218 814 651 ; www.fress.pt ; Largo das Portas do Sol 2 ; adulte/– de 14 ans/réduction 4/gratuit/2 € ; 10h-17h mar-dim ; 28
Visitez ce palais du XVIIe siècle pour une découverte des arts décoratifs à travers les âges. Croulant sous les *azulejos*, les lustres et les fresques, ses somptueux appartements sont remplis d'argenterie française, de meubles indochinois et de précieux vases Qing.

MUSEU DO FADO

Musée du Fado ; ☎ 218 823 470 ; www.museudofado.egeac.pt ; Largo do Chafariz de Dentro 1 ; adulte/réduction 2,50/1,25 € ; 10h-18h mar-dim ; M Santa Apolónia
Ce musée retrace l'histoire du fado, de ses origines ouvrières dans l'Alfama à son succès international : disques, enregistrements, affiches, atelier de guitare reconstitué et panthéon des grands noms du fado, notamment la reine Amália.
La boutique vend des disques.

MUSEU DO TEATRO ROMANO

Musée du Théâtre romain ; ☎ 217 513 200 ; Pátio do Aljube 5 ; entrée libre ; 10h-13h et 14h-18h mar-dim ; 28
Ce musée lumineux en face de la Sé vous ramène au temps où l'empereur Auguste régnait sur Olissippo (Lisbonne). Point fort de l'endroit : les vestiges du théâtre romain, abandonné au IVe siècle, enfoui lors du séisme de 1755 et mis au jour en 1964.

PANTEÃO NACIONAL

Panthéon national ; ☎ 218 854 820 ; Campo de Santa Clara ; adulte/enfant

À NE PAS MANQUER

Pour les amateurs d'*azulejos*, le **Museu Nacional do Azulejo** (musée national de l'Azulejo ; ☎ 218 100 340 ; Rua Madre de Deus 4 ; adulte/réduction 4/2 €, gratuit dim 10h-14h ; 14h-18h mar, 10h-18h mer-dim ; 104, 105 ;), occupant un sublime couvent du XVIe siècle, présente l'histoire de cet art, de la géométrie maure des origines aux motifs complexes de Goa. Le clou est un panneau de 36 m de long représentant Lisbonne avant le séisme. Le cloître manuélin est un enchantement, avec ses voûtes, ses piliers travaillés et ses *azulejos* bleu et blanc. À l'étage, la chapelle baroque scintille de tous ses ors. Orné de carreaux sur le thème de la nourriture, le restaurant sert de bons en-cas et ouvre sur une cour plantée de vignes. Plus de détails sur les *azulejos* p. 137.

2/1 €, gratuit dim 10h-14h ; 10h-17h mar-dim ; 28
S'élevant au-dessus de la Graça, ce panthéon baroque d'un blanc éclatant offre un tableau de toute beauté, avec son dôme en marbre rose entrelacé d'or. Allez voir les cénotaphes de l'explorateur du XVe siècle Vasco de Gama et de la *fadista* Amália avant de grimper les 181 marches jusqu'au point de vue pour contempler Lisbonne étalée à vos pieds.

SÉ

Cathédrale ; 218 866 752 ; Largo da Sé ; entrée libre ; 9h-19h ; 28
Cette cathédrale romane fortifiée, bâtie par les chrétiens en 1150 sur les ruines d'une mosquée, présente son plus beau visage au crépuscule, quand ses briques s'illuminent d'or. Une rosace éclaire son intérieur frais et ses voûtes nervurées. Notez les gargouilles espiègles au-dessus des orangers sur le flanc sud.

SHOPPING

A ARTE DA TERRA

Cadeaux et souvenirs

212 745 975 ; www.aartedaterra.pt ; Rua Augusto Rosa 40 ; 11h-20h mar-sam, 11h-18h dim ; 28
Dans un palais épiscopal vieux de plusieurs siècles, cette boutique mérite le détour juste pour son sol en pierre et ses voûtes en brique. Authentique artisanat portugais, mouchoirs brodés et *azulejos* peints à la main.

ARTICULA *Design*

934 113 225 ; www.teresamilheiro.com ; Rua dos Remédios 102 ; 10h-17h lun, mar, jeu et ven, 10h-14h sam, fermé mer et dim ; 28
L'atelier-galerie de l'artiste anticonformiste Teresa Milheiro présente des objets faits avec des os, des tubes médicaux et de l'aluminium, notamment des colliers en yeux de poupées et des chaînes composées de seringues.

FEIRA DA LADRA *Marché*

Marché aux voleurs ; Campo de Santa Clara ; 7h-17h sam, 8h-12h mar ; 28

Faites des affaires à la Feira da Ladra

Aller fouiner dans ce marché aux puces animé. On trouve de tout : manteaux de grand-mère, sarongs, poignées de porte en cuivre, 33-tours de Neil Diamond. Marchandez et surveillez votre portefeuille – ce marché porte bien son nom.

GARRAFEIRA DA SÉ *Vins*

☎ 218 869 549 ; Rua de São João da Praça ; 9h-19h lun-sam ; 28

Faisant tourner la tête des Lisboètes depuis 1927, cette cave voûtée, située derrière la Sé, stocke 600 vins portugais et portos, à déguster avant d'acheter.

PONTE LISBOA

Cadeaux et souvenirs

☎ 912 421 929 ; Rua Augusto Rosa 21 ; 11h-17h lun-mer, 11h-19h jeu-sam ; 28

Il est facile de rater ce banal magasin vendant les créations de 15 artistes brésiliens et portugais. Nos préférés : les animaux en feutre tout doux de Joana Areal et les libellules en argent brillant de Sebastião Lobo.

SE RESTAURER

BICA DO SAPATO

Cuisine fusion €€€

☎ 218 810 320 ; Avenida Infante Dom Henrique ; restaurant 12h-14h30 et 20h-23h30 mar-sam, lun dîner uniquement, bar à sushis 19h30-1h lun-sam ; M Santa Apolónia

L'acteur John Malkovich a un pied dans de nombreux lieux lisboètes, y compris ce restaurant ultrabranché sur les quais. Éclairage de navette spatiale, murs cramoisis et baies vitrées : le Bica draine une clientèle glamour venue se frotter à la célébrité et grignoter des sushis ou des plats plus ambitieux, comme le cochon de lait aux truffes de l'Alentejo.

BOTEQUIM SÃO MARTINHO

Tapas €

☎ 218 860 215 ; Largo de São Martinho 1 ; 15h-minuit ; 28

Ambiance rétro dans ce bar à tapas proche de la Sé, décoré avec des étiquettes de boîtes de sardines Tricona et éclairé par une lampe fabriquée avec un mannequin de couturier. Au menu : chorizo, fromage et vin blanc de l'Alentejo.

CASANOVA *Pizzéria* €

☎ 218 877 532 ; Avenida Infante Dom Henrique ; 12h30-1h30 mar-dim ; 28

Fines et croustillantes, ces pizzas au feu de bois font un malheur à midi. La terrasse au bord de l'eau est chauffée en hiver.

DIVINHA SEDUÇÃO

International €€

☎ 218 888 144 ; Rua Augusto Rosa 4 ; 10h-21h mar-jeu, 10h-minuit ven-sam ; 28

Miroirs dorés, coupes débordant de fruits et chaises à dossier haut confère un air théâtral à ce lieu apprécié pour sa cuisine de style méditerranéen : moules, gâteaux de crevettes aux asperges et sorbet aux fruits de la passion.

GRELHADOR DE ALFAMA

Portugais €

218 886 298 ; Rua dos Remédios 135 ; 11h-2h lun-sam ; 28

Petite adresse chaleureuse et sans prétention, où l'on vient se régaler de steaks et de poissons grillés à la perfection. Ambiance mi-rustique, mi-fado.

O FAZ FIGURA

Portugais moderne €€€

218 868 901 ; Rua do Paraíso 15B ; 12h30-15h et 19h30-23h, fermé lun midi ; M Santa Apolónia

Dans un coin perdu de l'Alfama se cache cet élégant restaurant décoré d'œuvres d'art ; qui sert une cuisine portugais inventive, comme le sanglier aux marrons ou la raie à la purée de poireaux. Vue splendide sur le quartier depuis le jardin d'hiver.

POIS CAFÉ *Café* €

218 862 497 ; Rua São João da Praça 93 ; 11h-20h mar-dim ; 28 ; V

Détente, simplicité et cuisine excellente : faites comme les Lisboètes, accordez-vous une pause au Pois Café

Artistes, bourgeois bohèmes et jolies mamans apprécient ce lieu, idéal pour boire un café et feuilleter un roman dans un confortable canapé en velours. Les salades et sandwichs portent des noms rappelant l'Autriche, pays d'origine du gérant. Essayez le *sepp* (pesto aux olives, courgettes et emmental). Aire de jeux pour enfants.

PORTA D'ALFAMA *Portugais* €

218 864 536 ; Rua de São João da Praça 17 ; 12h-15h et 19h30-22h ; 28

Les sardines grésillent sur le grill et les propriétaires poussent la chansonnette dans ce restaurant axé sur le fado. Difficile de s'arracher à cette terrasse ensoleillée au cœur de l'Alfama, surtout avec les concerts gratuits de *fado vadio* (fado amateur) à 15h et 20h le samedi.

RESTÔ *International* €€

218 867 334 ; Costa do Castelo 7 ; 19h30-2h lun-ven, 12h-2h sam-dim ; 28

Ce lieu fait partie de l'association culturelle Chapitô. Asseyez-vous dans la cour intérieure verdoyante pour manger des tapas ou un steak argentin. À l'étage, le restaurant arbore un décor de style safari ; on s'arrache les tables près de la fenêtre, avec leur vue magnifique sur le fleuve.

SANTO ANTONIO DE ALFAMA *Portugais* €€

218 881 328 ; Beco de Saõ Miguel 7 ; 12h-18h et 20h-2h mer-lun ; 28

Coincé entre deux maisons de l'Alfama, ce bistro cache l'une des plus charmantes cours de la ville, avec des vignes, du linge battant au vent et des perruches qui pépient. Sa salle voûtée est un hommage au 7e art, où les frères Vasconcelos concoctent des créations comme la délicieuse "salade Sophia Loren" – pesto, roquette et saumon.

SENHORA MÃE *Portugais moderne* €€

218 875 599 ; Largo de São Martinho 6-7 ; 12h30-minuit dim-jeu, 12h30-2h ven-sam avr-oct, dîner uniquement nov-mars ; 28

Touche de minimalisme dans un océan touristique, cette adresse présente un look presque scandinave : bois blond, lignes pures et éléments en zinc. Cuisine parfaite, depuis les raviolis à la seiche jusqu'à la venaison sauce châtaignes-*ginjinha*.

VIAGEM DE SABORES *International* €€

218 870 189 ; Rua São João da Praça 103 ; 20h-23h lun-jeu, 20h-minuit ven-sam ; 28 ; V

Même les gargouilles de la Sé couvent d'un œil envieux cette table internationale dirigée par João

Baptista. Le cadre est à mi-chemin entre le style industriel et la science-fiction. Au menu : coquilles Saint-Jacques flambées au whisky, agneau marocain, cannelloni au chocolat… On en redemande !

PRENDRE UN VERRE

BAR DAS IMAGENS *Bar*

218 884 636 ; Calçada Marquês de Tancos 1 ; 11h-2h mar-sam, 15h-23h dim ; 28

La minuscule terrasse de ce bar bohème est prise d'assaut au moindre rayon de soleil. Superbe vue sur Lisbonne, savoureuses *caipirinhas* et fond sonore jazzy.

GINJA D'ALFAMA *Bar à ginjinha*

Rua de São Pedro 12 ; 9h30-minuit ven-mer ; 28

Niché dans une étroite ruelle, ce petit bar est parfait pour boire de la *ginjinha* (1 € le verre) en bavardant avec les habitants.

ÚLTIMA SÉ *Bar*

218 860 053 ; Travessa do Almargem 1 ; 18h30-1h mar, mer et dim, 18h30-2h jeu-sam ; 28

Ses voûtes en brique doucement éclairées, son art contemporain audacieux et ses DJ attirent une clientèle jeune et animée. On vient ici pour les sushis, les cocktails expertement préparés et les soirs world music et reggae.

SORTIR

La plupart des clubs de fado exigent un droit d'entrée de 15-25 € minimum. La cuisine étant souvent médiocre, commandez plutôt une bouteille de vin. Pour en savoir plus sur le fado, voir p. 133.

A BAÎUCA *Fado*

218 867 284 ; Rua de São Miguel 20 ; 25 € minimum ; jeu-lun ; 28

En entrant ici, on a l'impression de faire intrusion dans une *festa* de famille. Tout le monde participe avec entrain au *fado vadio* : voisins, grands-mères, chauffeurs de taxi… Les spectateurs sifflent si on ose parler pendant les chansons.

CHAPITÔ *Théâtre*

218 855 550 ; www.chapito.org ; Costa do Castelo 1-7 ; prix des billets variable ; à partir de 22h ; 28

Perché au-dessus de Lisbonne, le Chapitô organise des spectacles de théâtre alternatif. En bas, le café accueille des musiciens de jazz du jeudi au samedi.

CLUBE DE FADO *Fado*

218 852 704 ; www.clube-de-fado.com ; Rua de São João da Praça 94 ; 10 € minimum ; 21h-2h30 lun-sam ; 28

Voûté et faiblement éclairé, voici un club de fado où se produisent

Joana Amendoeira

Fadista professionnelle, elle chante régulièrement au Clube de Fado

Qu'est-ce que le fado pour vous ? La vie : le bonheur, la tristesse, la poésie, l'histoire. La façon dont je chante change selon mon état d'esprit. Je dois *croire* à ce que je chante et ressentir les paroles dans mon cœur. **Et l'Alfama?** Dans l'Alfama, la communauté du fado est aussi soudée et solidaire qu'une famille. C'est essentiel, car le fado s'appuie sur des relations harmonieuses et intuitives entre chanteurs et musiciens. **Les points forts de votre carrière ?** Avoir chanté avec le guitariste José Fontes Rocha, qui a composé pour Amália. **Les meilleurs clubs de fado ?** Le Clube de Fado pour le fado professionnel et le Mesa de Frades pour le *fado vadio* – un lieu intime où on peut entendre chanter à 2h du matin ! **Vos projets ?** Enregistrer un album live. Mais j'ai déjà réalisé mon rêve. J'adore le fado, j'adore Lisbonne, j'y suis chez moi.

des *fadistas* professionnels comme Joana Amendoeira (voir l'interview ci-contre) ou Miguel Capucho et des guitaristes célèbres tels que José Fontes Rocha. Arrivez avant le début du spectacle (vers 22h) pour les entendre s'échauffer.

LUX *Discothèque*

☎ 218 820 890 ; www.luxfragil.com ; Avenida Infante Dom Henrique ; entrée 12 € ; 22h-6h mar-sam ; M Santa Apolónia

Vibrante, éclectique, somptueuse : voici LA méga-discothèque de Lisbonne. Décor design très épuré, galeries de miroirs et lustres spectaculaires, cet immense espace sur les quais a été créé par Marcel Reis et John Malkovich. Des DJ prestigieux, comme Leonaldo de Almeida et Pinkboy, y passent de la house et de la musique électronique. Venez avant 2h : à partir de 4h, les files d'attente n'en finissent plus. De la terrasse sur le toit, on peut voir le soleil se lever sur le Tage.

MESA DE FRADES *Fado*

☎ 917 029 436 ; Rua dos Remédios 139A ; 15 € minimum ; 19h-tard mer-lun ; 28

Petit, authentique et orné d'*azulejos* : Mesa de Frades est un endroit vraiment magique où écouter du fado. Les concerts commencent vers 22h30.

ONDA JAZZ *Musique live*

☎ 218 873 064 ; www.ondajazz.com ; Arco de Jesus 7 ; entrée 5-10 € ; 20h-2h mar-jeu, 20h-3h ven-sam ; 28

Dans l'Alfama, cette cave voûtée à l'éclairage chaleureux est un haut lieu du jazz, qui programme également de superbes concerts de musique latino et africaine. Jam-sessions gratuites le mercredi.

PARREIRINHA DE ALFAMA *Fado*

☎ 218 868 209 ; Beco do Espírito Santo 1 ; 15 € minimum ; 20h-2h ; 28

Des *fadistas* de renom honorent de leur présence ce club à l'ancienne, propriété de la grande Argentina Santos. Les spectacles débutent à 21h mais le lieu s'anime plus tard.

PROMENADE

L'ALFAMA PITTORESQUE

Sortez votre appareil photo avant de débuter votre balade au **Miradouro da Senhora do Monte** (**1** ; p. 65), d'où la vue s'étend du Castelo de São Jorge au Cristo Rei. Prenez au sud dans la Calçada do Monte, en obliquant vers l'est par la Rua Damasceno Monteiro, puis la Rua da Graça jusqu'au Largo da Graça. Admirez les *azulejos* géométriques de la Villa Sousa en traversant cette place verdoyante pour rejoindre le **Miradouro da Graça** (**2** ; p. 65). S'il fait soleil, prenez un verre sur la terrasse à l'ombre des pins en contemplant le panorama sur le dédale de l'Alfama et le Tage étincelant.

Retraversez la place et suivez la Travessa das Mónicas jusqu'à la Rua de São Vicente : vous apercevez le tramway n°28 et les tours élancées de l'**Igreja de São Vicente da Fora** (**3** ; p. 65) du XIIe siècle. Entrez pour admirer les splendides *azulejos* du cloître et la vue panoramique depuis la tour. Ensuite, descendez l'Arco Grande de Cima, avec son arcade

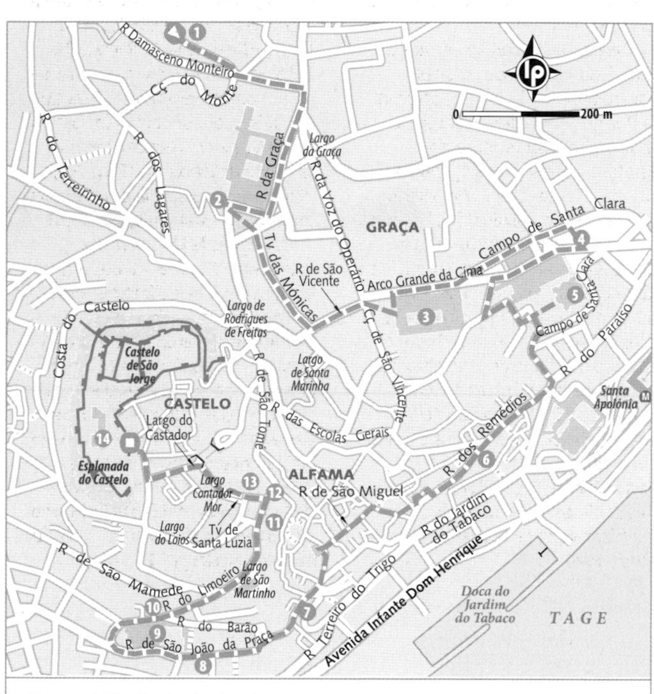

Distance 3,5 km **Durée** Cinq à six heures
▶ **Départ** Miradouro da Senhora do Monte ● **Arrivée** Castelo de São Jorge

en pierre et sa vue sur le fleuve, jusqu'au Campo de Santa Clara. Ici, la **Feira da Ladra** (**4** ; p. 69), un marché aux puces animé, attire les amateurs avertis le mardi et le samedi. De l'autre côté de la place s'élève le dôme blanc éclatant du **Panteão Nacional** (**5** ; p. 68) : grimpez en haut pour profiter de la vue.

Descendez la colline et pénétrez dans le labyrinthe des ruelles escarpées de l'Alfama. Empruntez la Rua dos Remédios, bordée de maisons aux couleurs pastel abritant des cafés, des épiceries et des galeries telles que l'**Articula** (**6** ; p. 69). Montez ensuite la Calçadinha de Santo Estêvão jusqu'à la Rua da Reguiera et prenez à gauche dans la Rua de São Miguel. Vous arrivez au Largo de São Miguel, l'une des plus jolies places du quartier, avec sa chapelle blanchie à la chaux et son fier palmier. Suivez la Rua de São Miguel jusqu'à la Rua de São João da Praça, en faisant une halte sur la terrasse ensoleillée de la **Porta d'Alfama** (**7** ; p. 72) pour manger des sardines, boire un pichet de vin blanc et, le samedi, écouter du *fado vadio*.

Continuez dans la Rua de São João da Praça en passant devant de superbes *azulejos*, comme les motifs en pointes de diamant du n°88 et les dessins floraux du n°106. Prenez un café au **Pois Café** (**8** ; p. 71), puis guettez les gargouilles en vous approchant des murs couleur sable de la **Sé** (**9** ; p. 69). Juste en face, le **Museu do Teatro Romano** (**10** ; p. 68) rappelle les racines romaines de Lisbonne. Remontez la Rua do Limoeiro pour découvrir la vue sur l'Alfama et la Graça depuis le **Miradouro de Santa Luzia** (**11** ; p. 65), planté de vignes, et la porte maure du **Largo das Portas do Sol** (**12** ; p. 65).

Rejoignez le **Museu de Artes Decorativas** (**13** ; p. 68) et jetez un œil à sa sublime collection, avant de monter les étroites marches pavées de la Travessa de Santa Luzia. Des musiciens ambulants divertissent souvent les passants à l'ombre des arbres du Largo do Castador ; notez l'insolite panneau indiquant un urinoir devant le Palácio Belmonte. Enfin, profitez de la vue imprenable sur Lisbonne depuis les fortifications maures du **Castelo de São Jorge** (**14** ; p. 65).

>BELÉM

À première vue, Belém ressemble à un village, avec ses pavés et ses maisons aux teintes pastel au bord du Tage. Le quartier reste cependant imprégné de l'âge des grandes découvertes, comme en témoigne des monuments tels que le puissant Padrão dos Descobrimentos ou la Torre de Belém, brillant de tous ses feux dans le soleil.

Ici, on peut presque imaginer Vasco de Gama quittant Lisbonne en 1497 et accostant à Calicut après avoir découvert la route des Indes, coup d'envoi de 500 ans de domination coloniale. Ou Manuel Ier utilisant les richesses ainsi engrangées pour bâtir le splendide Mosteiro dos Jerónimos, en gardant assez de cannelle pour en saupoudrer les *pastéis de Belém* que l'Antiga Confeitaria continue de servir aujourd'hui.

Entre aventures maritimes et œuvres de Warhol exposées au Museu Colecção Berardo, les centres d'intérêt ne manquent pas. Et au crépuscule, quand les touristes s'en vont et qu'une lueur dorée enveloppe les tourelles manuélines, c'est une autre Belém qui s'offre à vous.

BELÉM

VOIR

Jardim do Ultramar 1 D2
Mosteiro dos Jerónimos 2 C2
Museu Colecção Berardo ... 3 B3
Museu de Marinha 4 C2
Museu Nacional de Arqueologia 5 C2
Museu Nacional dos Coches 6 D2
Padrão dos Descobrimentos 7 C3
Torre de Belém 8 A4

SHOPPING

Loja CCB 9 C3
Margarida Pimentel ......(voir 9)
Vista Alegre 10 C3

SE RESTAURER

Antiga Confeitaria de Belém 11 D2
Cafetaria Quadrante 12 C3
Estrela de Belém 13 E2
Floresta 14 D3
Pão Pão Queijo Queijo ....(voir 15)
Rosa dos Mares 15 D2
Ton Xin 16 C3

PRENDRE UN VERRE

Belém Bar Café 17 F3
Enoteca de Belém 18 D2

SORTIR

Centro Cultural de Belém ....(voir 3)
Estádio do Restelo 19 C1

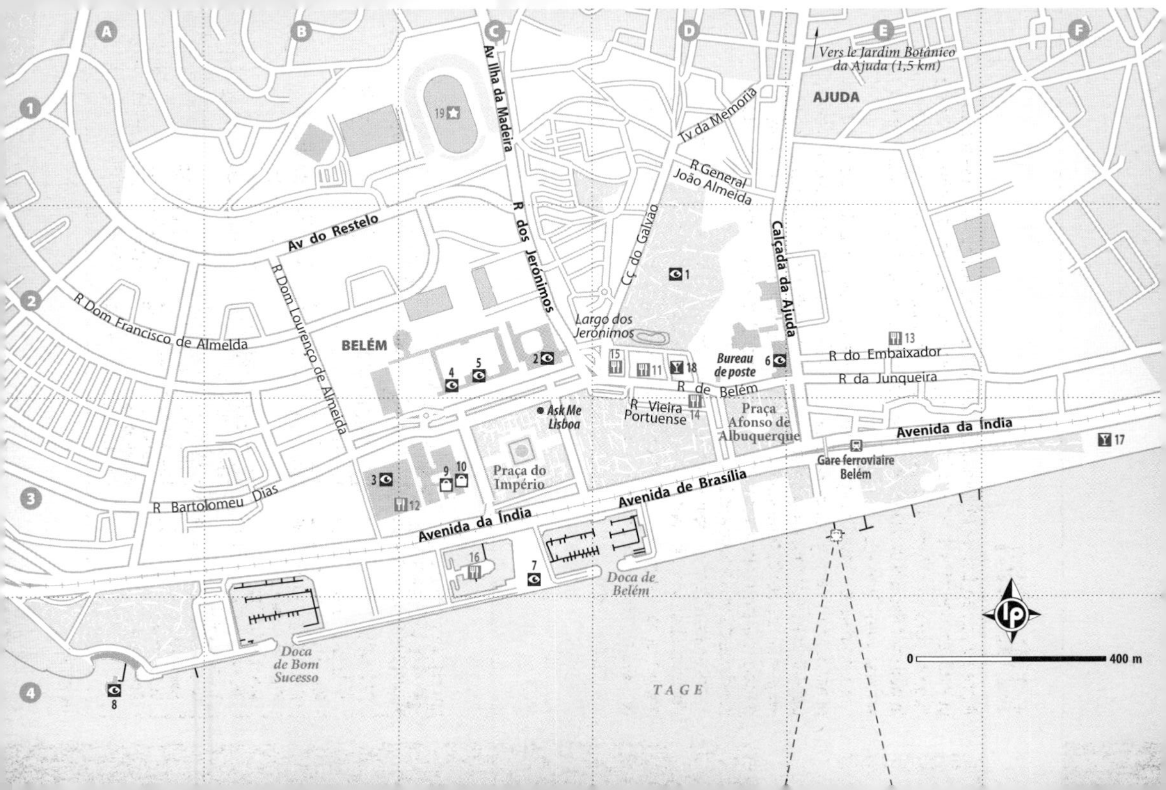

Vers le Jardim Botânico da Ajuda (1,5 km)
AJUDA
BELÉM
Av Ilha da Madeira
R dos Jerónimos
Av do Restelo
R Dom Francisco de Almeida
R Dom Lourenço de Almeida
Tv da Memória
R General João Almeida
Cç do Galvão
Largo dos Jerónimos
Calçada da Ajuda
R do Embaixador
R da Junqueira
R de Belém
Bureau de poste
R Vieira Portuense
Praça Afonso de Albuquerque
Ask Me Lisboa
Praça do Império
R Bartolomeu Dias
Avenida da Índia
Avenida de Brasília
Gare ferroviaire Belém
Doca de Belém
Doca de Bom Sucesso
TAGE
0
400 m
A
B
C
D
E
F
1
2
3
4

VOIR

JARDIM DO ULTRAMAR

Jardin de l'Outremer ; Calçada do Galvão ; adulte/enfant 1,50 €/gratuit ; 9h-19h30 ; 15, 27 ;

Ce jardin tropical compte 4 000 espèces, du palmier à l'araucaria du Chili (ou "désespoir des singes"). Le jardin de Macao regorgeant de bambous rend hommage à l'ancienne colonie portugaise. Les enfants adorent grimper sur les racines des banians et regarder les canards.

MOSTEIRO DOS JERÓNIMOS

Monastère des Hiéronymites ; 213 620 034 ; www.mosteirojeronimos.pt ; Praça do Império ; adulte/– de 14 ans/réduction 6/gratuit/3 €, gratuit dim 10h-14h ; 10h-17h mar-dim oct-avr, 10h-18h mai-sept ; 15, 27

Monument phare de Belém, ce monastère bâti en l'honneur de la découverte de l'Inde par Vasco de Gama en 1498, classé au patrimoine mondial, est une pure merveille manuéline, avec ses tourelles étroites et ses motifs décoratifs en filigrane. Voir aussi p. 18.

MUSEU COLECÇÃO BERARDO

Musée de la Collection Berardo ; 213 612 400 ; Praça do Império ; entrée libre ; 10h-19h, 10h-22h ven ; 15, 27

La collection d'art contemporain du milliardaire José Berardo compte parmi les plus belles du monde et permet d'effectuer un voyage à travers l'art abstrait, le surréalisme et le pop art en découvrant le *Judy Garland* de Warhol, l'insolite *Interior with Restful Painting* de Lichtenstein et le réalisme de *The Barn*, de Paula Rego. Également représentés Picasso, Hockney et Pollock. À l'extérieur, ne manquez pas les plantureuses *Baigneuses* de Nikki de Saint-Phalle.

MUSEU DE MARINHA

Musée de la Marine ; 213 620 019 ; http://museu.marinha.pt ; Praça do Império ; adulte/–de 6 ans/réduction 3/gratuit/1,50 €, gratuit dim 10h-13h ; 10h-17h mar-dim oct-mars, 10h-18h avr-sept ; 15, 27 ;

Ce lieu magique vous transporte à l'époque des grandes découvertes. Au milieu des maquettes de bateau et des boulets de canon, il recèle des trésors comme l'autel en bois portatif de Vasco de Gama, les riches quartiers privés du yacht royal *Amélia*, construit au Royaume-Uni en 1900, et de superbes galions.

MUSEU NACIONAL DE ARQUEOLOGIA

Musée national d'Archéologie ; 213 620 000 ; Praça do Império ; adulte/– de 14 ans/réduction 3/gratuit/1,50 €, gratuit dim 10h-13h ; 10h-17h mar-dim oct-mars, 10h-18h avr-sept ; 15, 27;

EN ROUTE VERS L'INDE

En quittant Lisbonne en juillet 1497, Vasco de Gama allait bouleverser les relations commerciales entre l'Europe et l'Asie. Après avoir longé la côte africaine, l'explorateur débarqua à Calicut, en Inde, en mai 1498 et fut fraîchement accueilli par le Zamorin (souverain hindou). Son héroïque expédition s'avéra pleine de difficultés : les courants de mousson étaient dangereux, le scorbut faisait rage et la moitié de l'équipage périt. À son retour en 1499, le roi Manuel Ier le nomma "amiral des Indes". Luís Vaz de Camões relata les aventures du bien-aimé *facundo capitão* (capitaine éloquent) dans son poème épique *Les Lusiades* (p. 150).

Ce musée installé dans le Mosteiro dos Jerónimos réunit des collections admirablement éclairées d'objets, d'ornements et de bijoux de l'âge du bronze, ainsi que des antiquités égyptiennes.

MUSEU NACIONAL DOS COCHES

Musée national des Carrosses ; ☎ 213 610 850 ; www.museudoscoches-ipmuseus.pt ; Praça Afonso de Albuquerque ; adulte/réduction 4/2 €, gratuit dim 10h-14h ; 10h-18h mar-dim 15, 27

Ce musée installé dans l'ancien manège royal ravira les Cendrillon dans l'âme. Ses salles renferment l'une des plus belles collections de carrosses et de selles du monde. Particulièrement éblouissant : le "Carrosse des océans" rouge et or du pape Clément XI.

PADRÃO DOS DESCOBRIMENTOS

Monument des Découvertes ; ☎ 213 031 950 ; www.padraodescobrimentos.egeac.pt ; Avenida de Brasília ; adulte/– de 12 ans/réduction 2,50/gratuit/1,50 € ; 10h-18h mar-dim oct-avr, 10h-19h mai-sept ; 15, 27

Cette massive caravelle en pierre de 52 m de haut, élevée en 1960 pour marquer le 500e anniversaire de la mort de Henri le Navigateur, vous coupera le souffle. Debout à la proue, Henri est accompagné d'autres grands explorateurs comme Vasco de Gama et Magellan. D'en haut, on voit le Tage et le Ponte 25 Abril. Devant le monument, une mosaïque indique les itinéraires suivis par les navigateurs portugais.

TORRE DE BELÉM

Tour de Belém ; ☎ 213 620 034 ; Avenida da Índia ; adulte/– de 14 ans/réduction 4/gratuit/2€, gratuit dim 10h-14h ; 10h-17h mar-dim oct-avr, 10h-18h30 mai-sept ; 15, 27

Nulle part l'appel de l'Atlantique est plus puissant que dans cette tour gris perle classée par l'Unesco et dressée au bord du Tage. Dessinée par Francisco de Arruda en 1515

À NE PAS MANQUER

Datant de 1768, le **Jardim Botânico da Ajuda** (Jardin botanique d'Ajuda ; ☎ 213 622 503 ; www.jardimbotanicodajuda.com ; Calçada da Ajuda ; adulte/réduction 2/1 € ; 9h-18h oct-mars, 9h-19h avr, 9h-20h mai-sept ; 18, 60;), au nord-est de Belém, est le plus vieux jardin botanique de Lisbonne. Ici vous attendent des fontaines gargouillantes, des parterres baroques bien entretenus et des sculptures. Flânez parmi les palmiers et les bougainvilliers, explorez les serres de fougères et d'orchidées ou allongez-vous sur la pelouse pour contempler la vue sur Belém et le Tage.

pour défendre le port de Lisbonne, elle s'orne d'arcs délicats, de coupoles et d'ouvrages en pierre typiques du style manuélin. Allez voir les cachots exigus avant de monter pour admirer la vue sur le fleuve. Le rhinocéros en pierre sous la tour ouest dépeint l'animal que Manuel Ier envoya au pape Léon X in 1515 et qui inspira à Dürer sa célèbre gravure.

SHOPPING

LOJA CCB *Design*

☎ 213 612 410 ; www.ccb.pt ; Centro Cultural de Belém ; 11h-20h ; 15, 27

Boutique de design remplie de gadgets et d'objets originaux d'artistes nationaux et internationaux, comme de la vaisselle Eva Solo ou les bondes pour baignoire Mr P.

MARGARIDA PIMENTEL *Mode et accessoires*

☎ 213 660 034 ; Centro Cultural de Belém ; 10h-21h ; 15, 27

Inspirés de la nature, les beaux bijoux de Margarida Pimentel allient l'argent, l'or et les pierres semi-précieuses. Ses colliers et bracelets ondulés font d'excellents cadeaux.

VISTA ALEGRE *Céramiques*

☎ 213 626 479 ; Centro Cultural de Belém ; 10h-19h ; 15, 27

À recommander aux amateurs de porcelaine. Depuis 1824, cette vaisselle exquise orne les tables des grands noms du Portugal, chefs d'État ou têtes couronnées.

SE RESTAURER

ANTIGA CONFEITARIA DE BELÉM *Pastelaria* €

☎ 213 637 423 ; www.pasteisdebelem.pt ; Rua de Belém 84-92 ; 8h-minuit mai-oct, 8h-23h nov-avr ; 15, 27

Depuis 1837, cette pâtisserie fait échouer tous les régimes des pauvres Lisboètes. On se damne pour ses *pastéis de nata,* composés de plusieurs couches de pâte croustillante fourrée à la crème et légèrement saupoudrée de cannelle.

Carlos Martins

Pâtissier à l'Antiga Confeitaria de Belém

Le point fort de votre métier ? Faire partie d'une équipe fantastique. Cela fait 30 ans que je suis ici et j'aime toujours autant la confection des *pastéis de Belém* et l'animation de la cuisine. **Difficile de tenir la recette secrète ?** Mes amis me supplient, mais j'ai promis de ne pas la révéler. Même les 40 employées qui garnissent les moules de *massa fohlada* (pâte feuilletée) ne savent pas comment la crème est faite. La pâte est fourrée, puis cuite à 400°C pour obtenir cette croûte marron parfaite. **Et la concurrence ?** Il n'y en a pas. On ne trouve les *pastéis de Belém* qu'ici, près du Mosteiro dos Jerónimos, où la recette a été inventée. Notre pâte est plus croustillante, notre crème plus moelleuse. Nous faisons 15 000 tartelettes par jour, le double le week-end. **Vous en mangez ?** Oui, mais juste pour contrôler la qualité (sourire).

Une tradition incontournable – les pastéis de nata de l'Antiga Confeitaria de Belém (p. 82)

Les salles voûtées peuvent accueillir 2 000 personnes, mais installez-vous plutôt au comptoir pour dévorer un sublime pastéi encore tiède. Voir aussi p. 19.

CAFETARIA QUADRANTE
Café €

213 622 722 ; Centro Cultural de Belém ; 10h-20h lun-ven, 10h-21h sam-dim ; 15 ; 27 ; V

Après la visite du Museu Colecção Berardo (p. 80), venez manger une salade et une soupe dans ce café lumineux. Tâchez de vous asseoir en terrasse pour admirer la voluptueuse sculpture de Henry Moore. L'été, concerts gratuits de jazz à 22h30 le jeudi.

ESTRELA DE BELÉM
Portugais €

213 625 100 ; Rua do Embaixador 112 ; 12h-15h et 19h-22h ; 15, 27

Dans une petite rue calme brille la star de Belém. Loin du flot des touristes, cette adresse rustique sert de la bière fraîche et une bonne cuisine portugaise, comme des *salsichas* (saucisses) aux herbes fabriquées par le boucher du quartier.

FLORESTA *Portugais* €

213 636 307 ; Praça Afonso de Albuquerque 1A ; 12h-15h et 19h-22h mar-dim ; 15, 27

À midi, quand le soleil brille, installez-vous sur la terrasse de ce bistro sans prétention donnant sur le parc de Belém. Le sourire des clients en train de savourer omelettes et sardines grillées en dit long.

PÃO PÃO QUEIJO QUEIJO

International €

213 626 369 ; Rua de Belém 124 ; 8h-minuit lun-sam; 8h-20h dim ; 15, 27; V

Les gens du coin savent qu'ici, les falafels, les sandwichs à la sardine et les salades mexicaines épicées méritent l'attente. Moyennant une poignée d'euros, rejoignez-les pour quelques minutes de bienheureuse délectation.

ROSA DOS MARES

Portugais €€

213 637 277 ; Rua de Belém 110 ; 12h-15h et 19h-22h mar-dim ; 15, 27

Malgré ses tons rose bonbon et ses poutres, le cadre est plus élégant que chichiteux. La carte doit comprendre à peu près tout ce qui nage dans l'Atlantique. Les serveurs vous aideront à choisir parmi des délices comme le riz aux fruits de mer ou le *bacalhau* (morue) au four.

TON XIN *International* €€

213 016 652 ; Avenida de Brasília ; 12h-1h ; 15, 27

DOUCEURS CÉLESTES

L'origine des divins *pastéis de Belém* remonte à l'existence d'une raffinerie de sucre de canne installée près du Mosteiro dos Jerónimos au début du XIXe siècle. En 1820, la révolution libérale balaya le Portugal et dès 1834, tous les monastères furent fermés, et les moines expulsés. Pour survivre, certains trouvèrent le salut dans le sucre de la raffinerie : les *pastéis de Belém* étaient nés. La recette secrète, restée inchangée depuis, est la preuve que la gourmandise n'est pas un péché.

Son déjeuner-buffet chinois à 9,80 € et sa terrasse au bord de l'eau lui valent un franc succès. Remplissez votre assiette de viande, de poisson et de légumes, ajoutez une sauce (la *gon bao* est épicée) et regardez les cuisiniers manier le wok.

PRENDRE UN VERRE

BELÉM BAR CAFÉ *Lounge*

213 624 232 ; www.belembarcafe.com ; Pavilhão Poente, Avenida de Brasília ; 22h-2h mar et mer, minuit-5h ven et sam ; 15, 27

Au bord du fleuve, ce lieu branché attire les fashion victims avec ses baies vitrées, son éclairage violet et ses canapés en cuir. La terrasse est idéale pour boire un cocktail en regardant le Ponte 25 de Abril. Le samedi, le DJ Espírito Santo enflamme la piste avec du hip-hop et du R'n'B.

ENOTECA DE BELÉM

Bar à vins

213 631 511 ; Travessa de Marta Pinto 10-12 ; 12h-22h ; 15, 27

Classée parmi les meilleures *enotecas* de Lisbonne par *Time Out Lisboa* en 2008, cette petite adresse accueillante permet de découvrir les vins et portos du pays, comme les rouges du Douro et les blancs de l'Alentejo.

SORTIR

CENTRO CULTURAL DE BELÉM *Salle de concert*

213 612 400 ; www.ccb.pt ; Praça do Império ; billets 5-40 € ; 15, 27

Ce poids lourd de la culture offre une programmation de qualité : jazz expérimental, danse contemporaine, théâtre d'avant-garde, concerts de l'Orchestre de chambre du Portugal. Il accueille aussi de grandes manifestations comme le festival Alkantara (p. 24).

ESTÁDIO DO RESTELO *Stade*

213 010 461 ; www.osbelenenses.com ; Avenida do Restelo ; prix des billets variable ; 15, 27

Ce stade de 32 500 places bâti en 1956 et rénové en 2004 accueille le troisième club de football lisboète, Os Belenenses. Belle vue sur le fleuve depuis la tribune ouest. Plus de détails sur le football, p. 138.

PROMENADE

LA CRÈME DE BELÉM

Commencez par vous immerger dans l'extravagante architecture manuéline du **Mosteiro dos Jerónimos** (**1** ; p. 80) avant les heures d'affluence. Entrez au **Museu Nacional de Arqueologia** (**2** ; p. 80) adjacent pour voir des momies égyptiennes, ou au **Museu de Marinha** (**3** ; p. 80) pour retrouver le passé maritime du Portugal. Dirigez-vous ensuite vers le Largo dos Jerónimos, puis prenez à gauche dans la Calçada do Galvão pour faire une pause sous les palmiers du **Jardim do Ultramar** (**4** , p. 80). Rebroussez chemin jusqu'à l'**Antiga Confeitaria de Belém** (**5** ; p. 82) et offrez-vous absolument un *pastei de nata*. Maintenant que le sucre et la cannelle vous ont revigoré, traversez les jardins parsemés de fontaines jusqu'au bord du fleuve, où se dresse le **Padrão dos Descobrimentos** (**6** ; p. 81) en forme de caravelle. Montez les 267 marches pour profiter de la vue ou trichez en prenant l'ascenseur. Rejoignez ensuite la Praça do Império et traversez la route pour voir les Picasso et les Warhol du **Museu Colecção Berardo** (**7** ; p. 80), au sein de

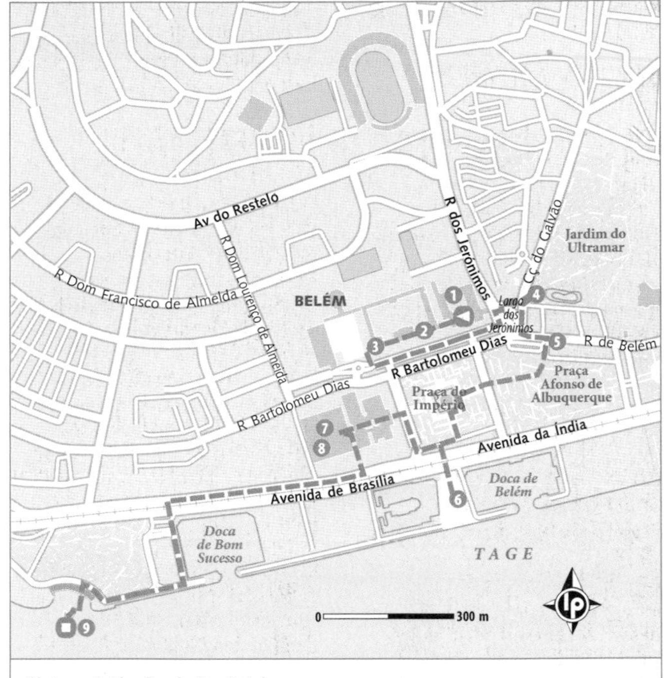

Distance 3,5 km **Durée** Cinq à six heures
▶ **Départ** Mosteiro dos Jerónimos ● **Arrivée** Torre de Belém

l'immense **Centro Cultural de Belém** (**8** ; ci-contre). Puis, suivez à l'ouest l'Avenida da Índia pour atteindre la **Torre de Belém** (**9** ; p. 81), où plane encore l'esprit intrépide des grands explorateurs portugais.

>PARQUE DAS NAÇÕES

Avant l'Expo'98, peu de gens avaient entendu parler du Parque das Nações, un terrain industriel au nord-est de Lisbonne occupé par des raffineries de pétrole, des stations d'épuration et des abattoirs. La zone a changé de visage presque du jour au lendemain : les cheminées crachant des fumées nauséabondes et sales ont été démolies, les taudis rasés et les habitants relogés.

En dix ans, des architectes progressistes comme Nick Jacobs et Santiago Calatrava ont réussi à transformer le quartier en un terrain de jeu futuriste tout de verre et d'acier, sur un thème marin et dans le respect de l'environnement. La bête polluante est devenue une belle ultramoderne.

Aujourd'hui, des familles viennent voir les requins du second plus grand océanarium d'Europe, des couples se promènent au bord de l'eau jusqu'à l'immense Ponte Vasco da Gama et des fanas d'architecture admirent la splendeur de la Gare do Oriente. Les critiques ont beau dire que le Parque das Nações est dépourvu d'âme, une chose est sûre : il témoigne de la capacité de Lisbonne à se réinventer et à se tourner fermement vers l'avenir.

PARQUE DAS NAÇÕES

VOIR

Caminho da Água 1 C2
Gare do Oriente 2 B3
Jardim Garcia de Orta 3 D2
Jardins d'Água 4 C4
Oceanário 5 C4
Pavilhão do Conhecimento 6 C4
Teleférico 7 D1
Torre Vasco da Gama 8 D1

SHOPPING

Centro Vasco da Gama 9 C3

SE RESTAURER

Art Café 10 C4
Atanvá 11 D2
Joshua's Shoarma Grill 12 D2
Origami Sushi House 13 C4
Real Indiana 14 C3
República da Cerveja 15 D2

PRENDRE UN VERRE

Havana 16 D1
Real República de Coimbra 17 D2

SORTIR

Casino Lisboa 18 C3
Feira Internacional de Lisboa 19 C1
Pavilhão Atlântico 20 C2
Teatro Camões 21 C4
Tejo Bike 22 C3

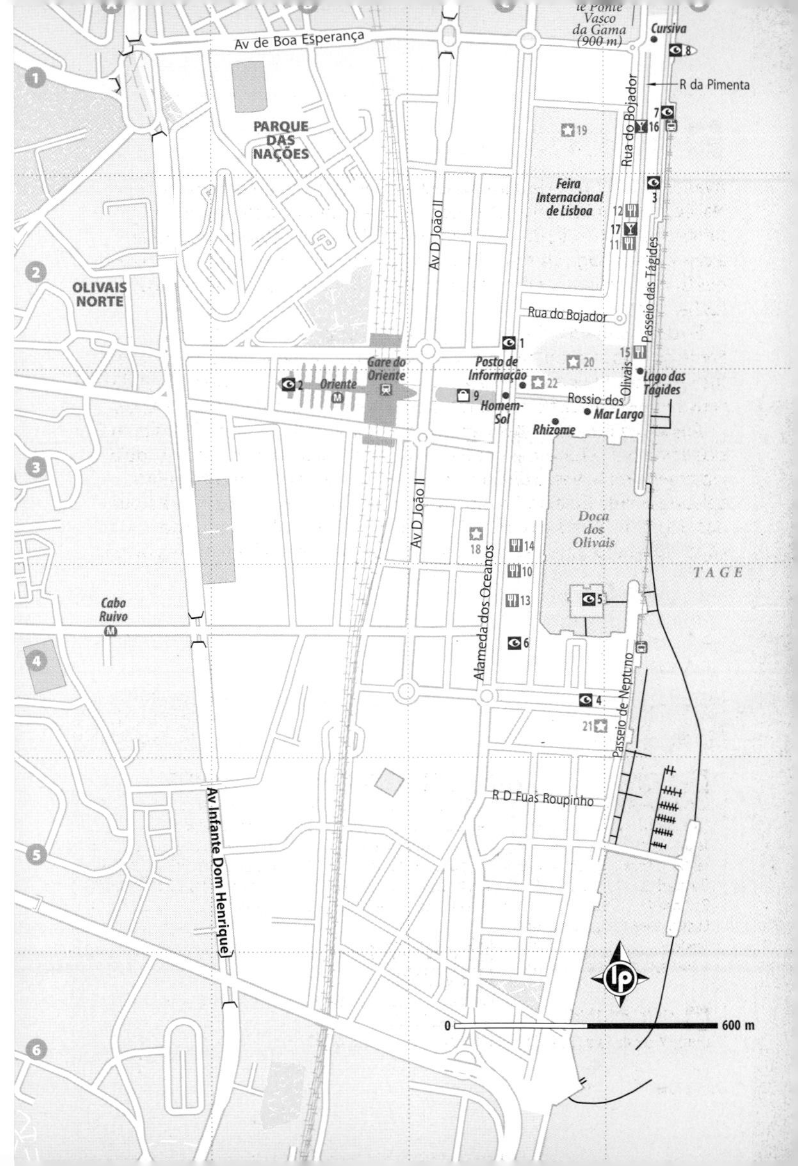

Ponte Vasco da Gama (900 m)
Av de Boa Esperança
Cursiva
R da Pimenta
Rua do Bojador
PARQUE DAS NAÇÕES
Feira Internacional de Lisboa
OLIVAIS NORTE
Av D João II
Passeio das Tágides
Rua do Bojador
Gare do Oriente
Oriente
Posto de Informação
Homem-Sol
Rossio dos Olivais
Lago das Tágides
Mar Largo
Rhizome
Doca dos Olivais
TAGE
Cabo Ruivo
Alameda dos Oceanos
Passeio de Neptuno
R D Fuas Roupinho
Av Infante Dom Henrique
0
600 m

VOIR

CAMINHO DA ÁGUA

Chemin de l'eau ; Alameda dos Oceanos ; entrée libre ; M Oriente ;

L'artiste portugais Rigo a dessiné cette promenade d'inspiration marine. Regardez les volcans bleus en mosaïque entrer en éruption ou profitez d'un instant tranquille sur les bancs en forme de vague. Il est interdit de se baigner, comme le rappellent les panneaux. Enfin, il reste le Tage…

GARE DO ORIENTE

Gare de l'Orient ; Avenida D João II ; M Oriente ;

Création du célèbre architecte espagnol Santiago Calatrava cette extraordinaire structure cintrée et aérée possède de fines colonnes blanches qui se déploient en éventail jusqu'au toit en accordéon pour donner un effet de palmeraie cristalline. L'entrée, évoquant le *Starship Enterprise*, ajoute une touche de science-fiction à ce colossal édifice. On doit aussi à Calatrava d'autres gares à Zurich, Lyon et Valence. La station de métro en contrebas, s'orne de décors en azulejos conçus par des artistes internationaux.

JARDIM GARCIA DE ORTA

Jardin Garcia de Orta ; Rossio dos Olivais ; entrée libre ; M Oriente ;

Ce jardin est un hommage botanique à l'ère des Grandes Découvertes. C'est aussi une agréable oasis installé au bord du Tage qui regorge de végétaux exotiques venus d'autres continents, notamment des raretés comme l'oiseau de paradis de Madère et le dragonnier des Canaries. Dans le jardin brésilien poussent des bougainvilliers, des kapokiers et des piments tabasco. Le lieu doit son nom à Garcia de Orta, médecin et

L'ART UNDERGROUND

Lors de l'Expo '98, la Gare do Oriente a fait connaître l'art underground le plus audacieux de Lisbonne, en accueillant des sculptures et des fresques d'inspiration marine créées par des artistes de renommée internationale. Allez admirer le nudibranche futuriste du Japonais Yayoi Kusama, la *Submersão Atlântida* (Immersion de l'Atlantide) de l'Autrichien Friedensreich Hundertwasser, sorte d'horizon urbain en technicolor, et la fresque post-moderne de l'Argentin Antonio Seguí, avec ses sirènes d'allure masculine et son *Titanic* en perdition. À voir également : le paysage marin onirique du peintre australien Arthur Boyd et le pop art imprégné de mythologie de l'Islandais Erro, où figurent des sirènes bien en chair et des pieuvres en train de se contorsionner. Pour plus de détails sur les *azulejos* du métro, voir p. 137.

BON PLAN

Pour faire des économies, la **Cartão do Parque** (adulte/réduction 17,50/9 €) donne accès aux grandes attractions du Parque das Nações, notamment l'Oceanário, le Pavilhão do Conhecimento et le Teleférico, et offre des avantages comme une réduction de 20% sur les locations de vélo. Valable un mois, elle vous permet de prendre votre temps pour voir tous les sites. De plus, elle vous évite de faire la queue aux billetteries. Achetez-la au **Posto de Informação** (Point d'information ; ☎ 218 919 333 ; www.parquedasnacoes.pt ; Alameda dos Oceanos ; 🕓 10h-20h avr-oct, 10h-18h nov-mars ; Ⓜ Oriente).

botaniste portugais du XVIe siècle, pionnier de la médecine tropicale.

JARDINS D'ÁGUA

Jardins d'eau ; Passeio de Neptuno ; entrée libre ; 🕓 24h/24 ; Ⓜ Oriente ;

Ces jardins sur le thème de l'eau sont parfaits pour se rafraîchir en été. Quand le soleil brille, parents et enfants excités se font tremper en jouant entre les chutes d'eau et les geysers et en s'essayant à diverses activités aquatiques.

OCEANÁRIO

Océanarium ; ☎ 218 917 002 ; www.oceanario.pt ; Doca dos Olivais ; adulte/– de 3 ans/– de 12 ans /famille 11/gratuit/5,50/26,50 € ; 🕓 10h-19h avr-oct, 10h-18h nov-mars ; Ⓜ Oriente ;

Même Nemo sacrifierait son récif pour nager dans ce spectaculaire océanarium, dont les immenses bassins vous donnent l'impression d'être sous l'eau, face-à-face avec des requins zèbres ou des raies manta. Vous y observerez 450 espèces provenant de toute les mers du globe. Axé sur la protection des espèces, il offre aussi des activités familiales, par exemple une visite guidée dans les coulisses ou une nuit sur place, à dormir devant l'aquarium aux requins. Voir aussi p. 17.

Molécule géante au Pavilhão do Conhecimento

PAVILHÃO DO CONHECIMENTO

Pavillon de la Connaissance ; ☎ 218 917 100 ; www.pavconhecimento.pt ; Alameda dos Oceanos ; adulte/réduction/famille 7/3/15 € ; 10h-18h mar-ven, 11h-19h sam-dim ; Ⓜ Oriente ;

Le musée regroupe des expositions interactives consacrées à des phénomènes scientifiques et naturels. La physique en s'amusant : ici, vos enfants passeront des heures à lancer des fusées à hydrogène ou à marcher sur la Lune vêtus d'une combinaison spatiale. Des petites boules d'énergie s'activent dans la maison en construction – interdite aux adultes – tandis que des Einstein en herbe battent des tomates au fouet, font des bulles de savon géantes ou exécutent un numéro de funambule sur un vélo. Les adultes aussi apprécieront secrètement cet endroit.

PONTE VASCO DA GAMA

Pont Vasco de Gama ; Parque do Tejo ; Ⓜ Oriente

Ce pont à haubans, le plus long d'Europe (17,2 km sur 30 m de large), franchit le Tage pour disparaître au loin. Écrasant de sa taille tout ce qui l'entoure, il impressionne autant par ses dimensions que par ses

Les rives du Tage, idéales pour contempler le Ponte Vasco da Gama

SCULPTURES À VIVRE

Si vous vous intéressez à l'art public, venez profiter des sculptures en plein air du Parque das Nações, créées à l'occasion de l'Expo'98 par des artistes prolifiques tels qu'Antony Gormley (connu pour son célèbre *Angel of the North*) et feu Jorge Vieira. L'idée de base étant que l'art doit être accessibles à tous, beaucoup de ces œuvres peuvent être touchées, arpentées ou escaladées. Voici nos préférées :

> *Rhizome*, d'Antony Gormley, dans le Rossio dos Olivais, une sculpture abstraite en fer représentant neuf figures humaines grandeur nature harmonieusement encastrées les unes dans les autres.
> *Homem-Sol* (Homme-Soleil) de Jorge Vieira, un géant anthropomorphe de 20 m de haut en oxyde de fer, dont la silhouette anguleuse s'élève au-dessus de l'Alameda dos Oceanos.
> *Cursiva*, d'Amy Yoes, près de la Torre Vasco da Gama, deux lignes ondulées vert citron censées symboliser la lettre capitulaire d'un manuscrit du Moyen Âge.
> *Mar Largo*, de Fernando Conduto, dans le Rossio dos Olivais, une allée onduleuse en mosaïque évoquant les marées du Tage.
> *Lago das Tágides*, de João Cutileiro, un ensemble de femmes nues en marbre partiellement immergées qui évoquent les mythiques *Tágides* (nymphes du Tage) du poète Luís de Camões.

caractéristiques : capable de résister à un séisme 4,5 fois plus puissant que le séisme de 1755 et à des vents de 250 km/h, il compte six voies routières et ses fondations descendent à 85 m au-dessous du niveau de la mer. On a même dû tenir compte la courbure de la Terre pour le construire !

TELEFÉRICO

Téléphérique ; ☎ 218 956 145 ; Passeio de Neptuno ; adulte/réduction/– de 4 ans 3,90/2 €/gratuit ; 11h-19h lun-ven, 10h-19h sam-dim ; M Oriente
Suspendu à 20 m au-dessus du sol entre la Torre Vasco da Gama et l'Oceanário, ce téléphérique offre une vue panoramique sur le Parque das Nações et les eaux étincelantes du Tage. Sortez votre appareil photo !

TORRE VASCO DA GAMA

Tour Vasco de Gama ; Rua Cais das Naus ; fermée au public ; M Oriente
On pourrait se croire à Dubaï quand on voit cet édifice emblématique en béton et acier dont la forme imite la voile de la puissante caravelle de l'explorateur Vasco de Gama. Les architectes Leonor Janeiro and Nick Jacobs sont à l'origine de cette tour culminant à 145 m, la plus haute du Portugal. Elle

devrait bientôt être transformée en hôtel cinq-étoiles.

SHOPPING

CENTRO VASCO DA GAMA

Centre commercial

☎ 218 930 600 ; www.centrovascodagama.pt ; Avenida D João II ; 10h-minuit lun-sam, 9h-13h dim ; M Oriente

L'eau s'écoule sur le toit en verre arrondi de ce centre commercial ultramoderne où les jeunes Lisboètes viennent faire du shopping le week-end. On trouve de grandes enseignes comme Zara, Diesel et Sephora, mais aussi des marques portugaises telles que Foreva, Vista Alegre et Continente, ainsi qu'un cinéma et des restaurants.

SE RESTAURER

ART CAFÉ *Café* €

Alameda dos Oceanos ; 8h-20h mar-ven, 12h-20h sam-dim ; M Oriente ; V

Des murs rouge vif décorés de tableaux éclatants confèrent à ce café un air artistique. Prenez un *bica* (expresso) en terrasse ou choisissez une salade, un sandwich ou un jus de fruits frais. Wi-Fi gratuite.

ATANVÁ *Portugais* €€

☎ 218 950 480 ; Rua da Pimenta 43-45 ; www.atanva.com ; 12h30-15h et 19h30-23h ; M Oriente

Des produits portugais ultrafrais garnissent les assiettes de l'Atanvá : steaks fins et juteux, fromage de brebis Azeitão, bar de l'Atlantique en croûte de sel. Asseyez-vous en terrasse pour siroter un verre de vin blanc en regardant passer les gens.

JOSHUA'S SHOARMA GRILL

International €

☎ 218 956 170 ; Rua da Pimenta 67-69 ; 12h-1h dim-jeu, 12h-3h ven-sam ; M Oriente ; V

Un snack-bar bon marché où l'on mange de savoureux kebabs, felafels et salades grecques. À la nuit tombée, il se transforme en bar à l'ambiance détendue, c'est l'endroit idéal pour boire une bière et grignoter un en-cas tardif.

ORIGAMI SUSHI HOUSE

Sushis €€

☎ 218 967 132 ; www.origami-sushihouse.com ; Alameda dos Oceanos ; 20h-23h lun-sam ; M Oriente

Ce restaurant japonais lumineux, au décor zen, prépare des sushis, des sashimis et des tempuras excellents. La salle, de style galerie, est meublée de bois blond et de tabourets couleur crème.

REAL INDIANA

International €€

☎ 218 960 303 ; Alameda dos Oceanos ; www.realindiana.pt ; 12h-15h et 19h-23h ; M Oriente

Si vous aimez la gastronomie indienne, vos papilles vous diront merci. Loin des classiques restaurants indiens, le décor est élégant, avec murs couleur or, carrelage noir poli et belles photographies de l'Inde. Côté cuisine : savoureux biryanis, vindaloos épicés et samosas croustillants, le tout très bien préparé.

REPÚBLICA DA CERVEJA *International* €€

218 922 593 ; Passeio das Tágides ; 12h30-1h ; Oriente

Prenez un cuisinier allemand, et regardez les Lisboètes se presser pour boire de la bière, manger de la viande et s'imprégner de l'ambiance germanique. Ce lieu animé propose d'énormes steaks en différentes saveurs – huître, par exemple. Les plats du jour sont indiqués sur un tableau noir. Le week-end : karaoké et concerts tonitruants.

PRENDRE UN VERRE

Concentrée au bord de la l'eau, dans la Rua da Pimenta, la vie nocturne du Parque das Nações n'a rien de très sophistiqué, mais le choix ne manque pas et les bars s'animent après minuit. Voyez les adresses suivantes ou laissez-vous guider par le hasard.

HAVANA *Bar*

218 957 116 ; Rua da Pimenta 115 ; 12h-4h ; Oriente, 208

Un bar cubain où l'on se balance sur des rythmes latinos en avalant de bonnes rasades de *cuba libre* (rhum, citron vert et cola). Faites l'impasse sur la nourriture, assez médiocre, et contentez-vous de danser. Les baies vitrées offrent une vue superbe sur le Tage et le Ponte Vasco de Gama.

REAL REPÚBLICA DE COIMBRA *Bar*

218 956 056 ; Rua da Pimenta 65 ; 14h-4h mar-sam ; Oriente, 208

Les étudiants se retrouvent dans ce bar décontracté qui évoque une taverne de Coimbra avec son sol en pierre, ses bancs de bois et son carrelage blanc. Au plafond sont suspendus les dessins et gribouillis d'anciens clients. Des groupes portugais pleins d'avenir jouent parfois ici.

SORTIR

CASINO LISBOA *Casino*

218 929 000 ; www.casino-lisboa.pt ; Alameda dos Oceanos ; 15h-3h dim-jeu, 16h-4h ven-sam ; Oriente

Rival de celui d'Estoril (p. 126), le casino de Lisbonne vise une clientèle jeune. Oubliez le smoking à la James Bond : le code vestimentaire penche vers le chic

Spectacle au Casino Lisboa (p. 95)

décontracté. L'endroit compte 1 000 machines à sous, 22 tables de jeu et trois restaurants, ainsi qu'une salle tournante, l'Arena Lounge, où se tiennent des spectacles comme *Stomp*. Critiqué à son ouverture en 2006, le casino a su jouer ses cartes pour gagner en popularité.

FEIRA INTERNACIONAL DE LISBOA

Parc des expositions

Foire internationale de Lisbonne ; ☎ 218 921 500 ; www.fil.pt ; Rua do Bojador ; entrée gratuite-8 € ; Ⓜ Oriente ; ♿
Dessiné par les architectes portugais Barreiros Ferreira et França Dória, ce saisissant bâtiment accueille la plupart des salons et des expositions organisés à Lisbonne. Le site web présente le calendrier des manifestations, comme le festival Art Lisboa (p. 26) en novembre.

PAVILHÃO ATLÂNTICO

Salle de concert

Pavillon atlantique ; ☎ 218 918 409 ; www.pavilhaoatlantico.pt ; Rossio dos Olivais ; billets 15-40 € ; Ⓜ Oriente ; ♿
Dessiné par le duo de rêve Regino Cruz et SOM London, la plus grande salle couverte du Portugal ressemble à un OVNI coiffé d'un toit en zinc propice aux économies d'énergie. Ici ont lieu les concerts de Madonna ou de Depeche Mode et d'autres grands événements (moto freestyle, championnat de tennis).

EN SELLE !

Avec ses promenades piétonnes et sa rive bordée d'attractions touristiques, le Parque das Nações se prête idéalement à la bicyclette, surtout pour pédaler le long de l'eau jusqu'au Ponte Vasco da Gama. **Tejo Bike** (☎ 218 919 333 ; www.tejobike.pt ; Alameda dos Oceanos ; adulte/enfant/kart 4/3/6 € l'heure ; 🕑 10h-20h avr-oct, 11h-18h nov-mars ; Ⓜ Oriente ; 🚼), à côté du Posto de Informação et du Pavilhão Atlântico, loue du matériel de bonne qualité, notamment des vélos de ville, des vélos d'enfants et des karts.

TEATRO CAMÕES *Théâtre*

Théâtre Camões ; ☎ 218 923 477 ; www.cnb.pt ; Passeio do Neptuno ; billets 5-40 € ; Ⓜ Oriente ; ♿

Conçu sous la forme d'une structure oblongue composée de béton et de verre par Manuel Salgado, le Teatro Camões est le foyer de la Compagnie nationale de danse sous la direction du chorégraphe Vasco Wellenkamp, acclamé pour ses créations d'une forte intensité émotionnelle et d'une grande fluidité.

>MARQUÊS DE POMBAL, RATO ET SALDANHA

L'impression que Lisbonne est un regroupement de plusieurs villages s'efface dès qu'on arrive vers le nord : le ciel se hérisse de gratte-ciels, les voitures filent autour de Marquês de Pombal et les élégantes vont acheter du Gucci dans des boutiques de luxe. Pour se balader et faire du shopping, l'Avenida da Liberdade tracée au XIXe siècle et qualifiée par le poète Fernando Pessoa de "plus belle artère de Lisbonne", étire sur 1,3 km ses palmiers, ses mosaïques pavées et ses cafés, entre Restauradores et la Praça Marquês de Pombal.

À l'ouest, le Rato révèle la verdure du Jardim Botânico et les arches de l'Aqueduto das Águas Livres. Plus au nord, le quartier animé de Saldanha abrite les serres du Parque Eduardo VII et le Museu Calouste Gulbenkian, où l'on peut admirer des sculptures de Rodin et des bijoux de René Lalique. Ici se trouvent aussi des restaurants prestigieux comme l'Olivier Avenida et l'Eleven, étoilé au Michelin.

MARQUÊS DE POMBAL, RATO ET SALDANHA

VOIR

Aqueduto das Águas Livres 1 A5
Centro de Arte Moderna . 2 B2
Estufas 3 B4
Jardim Botânico 4 C6
Mãe d'Água 5 B5
Museu Calouste Gulbenkian 6 B2
Parque Eduardo VII 7 B4

SHOPPING

Amoreiras 8 A5
Arquitectónica 9 B6
Charcutaria Brasil 10 B6
El Corte Inglés 11 B3
Livraria Buchholz 12 C5
Montes de Sabor 13 B6

SE RESTAURER

Casa da Comida .... (voir 5)
Cervejaria Ribadouro 14 C6
Eleven 15 B3
Lotus 16 C2
Luca 17 C5
Olivier Avenida 18 C6
Os Tibetanos 19 C6
Panorama Restaurant ... 20 C3
Tamarind 21 C6
Versailles 22 C2

PRENDRE UN VERRE

Chafariz do Vinho 23 C6
House of Vodka 24 C6
La Caffé 25 C6
Linha d'Água 26 B3

SORTIR

Cabaret Maxime 27 C6
Campo Pequeno 28 C1
Cinemateca Portuguesa 29 C5
Culturgest 30 D1
Fundação Calouste Gulbenkian 31 B2
Hot Clube de Portugal ... 32 C6
São Jorge 33 C6

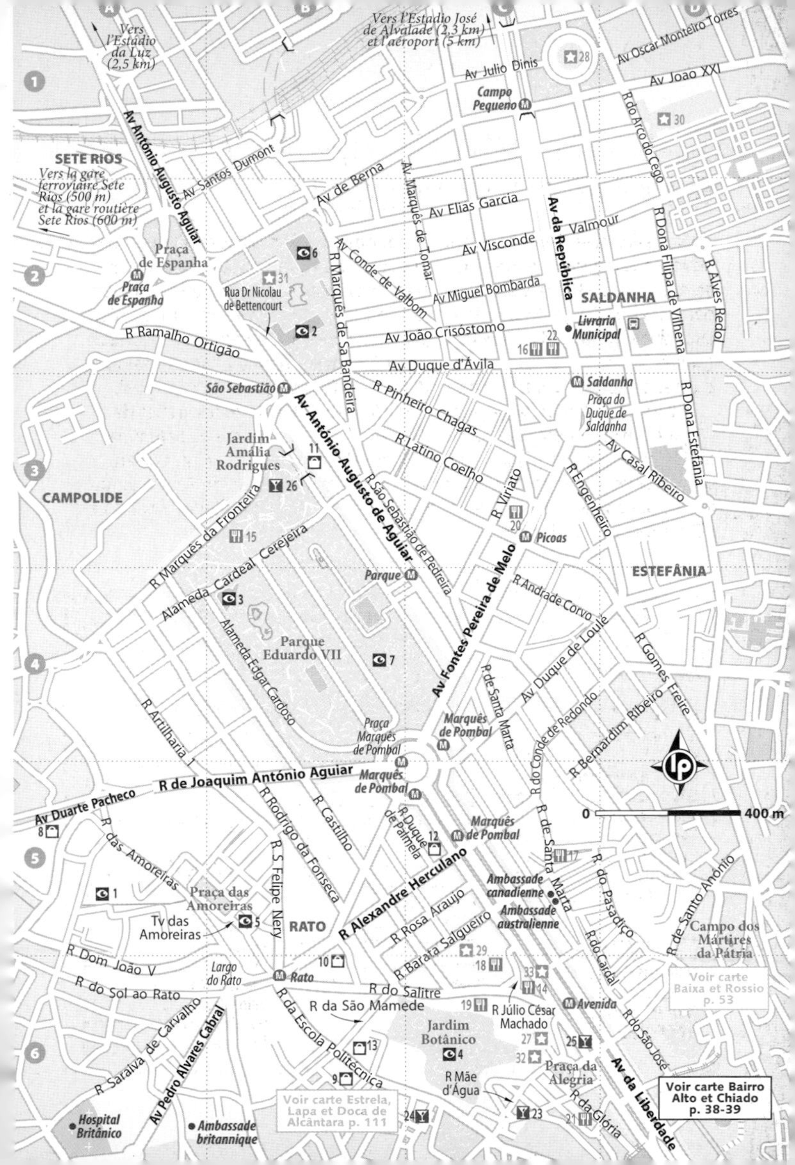

A
B
C
D
1
2
3
4
5
6
Vers l'Estádio da Luz (2,5 km)
Vers l'Estadio José de Alvalade (2,3 km) et l'aéroport (5 km)
Av Oscar Monteiro Torres
28
Av Julio Dinis
Av Joao XXI
Campo Pequeno
30
R do Arco do Cego
Av António Augusto Aguiar
SETE RIOS
Vers la gare ferroviaire Sete Rios (500 m) et la gare routière Sete Rios (600 m)
Av Santos Dumont
Av de Berna
Av Marquês de Tomar
Av Elias Garcia
Av da República
Valmour
Av Visconde
R Dona Filipa de Vilhena
R Alves Redol
Praça de Espanha
6
31
Rua Dr Nicolau de Bettencourt
R Marquês de Sa Bandeira
Av Conde de Valbom
Av Miguel Bombarda
SALDANHA
Livraria Municipal
R Ramalho Ortigão
2
Av João Crisóstomo
22
16
Av Duque d'Ávila
São Sebastião
R Pinheiro Chagas
Saldanha
Praça do Duque de Saldanha
R Dona Estefânia
Av António Augusto de Aguiar
Jardim Amália Rodrigues
11
R Latino Coelho
Av Casal Ribeiro
R Engenheiro
CAMPOLIDE
26
R São Sebastião de Pedreira
R Viriato
20
Picoas
R Marquês da Fronteira
15
Alameda Cardeal Cerejeira
Parque
ESTEFÂNIA
3
Av Fontes Pereira de Melo
R Andrade Corvo
Alameda Edgar Cardoso
Parque Eduardo VII
7
R Gomes Freire
Av Duque de Loulé
R de Santa Marta
R do Conde de Redondo
R Bernardim Ribeiro
R Artilharia 1
Praça Marquês de Pombal
Marquês de Pombal
R de Joaquim António Aguiar
0
400 m
Av Duarte Pacheco
8
R das Amoreiras
R Rodrigo da Fonseca
R Castilho
R Duque de Palmela
12
R S Felipe Nery
R Alexandre Herculano
R de Santa Marta
17
R do Pasadiço
1
Praça das Amoreiras
Ambassade canadienne
Ambassade australienne
Tv das Amoreiras
5
RATO
R Rosa Araujo
R de Santo António
Campo dos Mártires da Pátria
R Dom João V
Largo do Rato
10
R Barata Salgueiro
29
18
R do Cardal
Voir carte Baixa et Rossio p. 53
R do Sol ao Rato
Rato
R do Salitre
33
14
R da São Mamede
19
R Júlio César Machado
Avenida
R do São José
R Saraiva de Carvalho
Av Pedro Álvares Cabral
R da Escola Politécnica
13
Jardim Botânico
4
27
25
32
9
R Mãe d'Água
Praça da Alegria
Voir carte Bairro Alto et Chiado p. 38-39
Hospital Britânico
Ambassade britannique
Voir carte Estrela, Lapa et Doca de Alcântara p. 111
24
23
21
R da Glória
Av da Liberdade

VOIR

CENTRO DE ARTE MODERNA

Centre d'Art moderne ; ☎ 217 823 474 ; www.camjap.gulbenkian.pt ; Rua Dr Nicolau de Bettencourt ; adulte/– de 12 ans/réduction 4/gratuit/2 €, gratuit dim ; 10h-18h mar-dim ; M São Sebastião

Cette galerie avant-gardiste présente une excellente collection d'art portugais et étranger du XXe siècle, notamment des œuvres de David Hockney et d'Anthony Gormley. Ne manquez le conte de fées morbide *Proies Wall*, de Paula Rego, et le géométrique *Chanteur Flamenco* de Sonia Delaunay. L'endroit compte une librairie bien approvisionnée, un café en plein air et un jardin ponctué de sculptures où il fait bon flâner.

ESTUFAS

Serres ; Rua Castilho ; adulte/– de 12 ans 1,61 €/gratuit ; 9h-16h30 oct-avr, 9h-17h30 mai-sept ; M Parque

Dans un coin tranquille du Parque Eduardo VII (p. 102), ces serres de 1910 se prêtent à une agréable balade parmi des cascades et des végétaux de toutes sortes : fougères arborescentes et camélias dans l'*estufa fría* (serre froide), caféiers et manguiers dans l'*estufa quente* (serre chaude), cactus hérissés de piquants dans l'*estufa doce* (serre douce).

OUVRAGE D'ART

Chef-d'œuvre d'ingénierie datant du XVIIIe siècle, l'Aqueduto das Águas Livres ("aqueduc des eaux libres") fut bâti par Jean V pour approvisionner Lisbonne en eau potable. Ses 109 arches ondulent à travers les collines jusqu'à Caneças, à plus de 18 km de là. L'effet est spectaculaire à Campolide, où l'arche la plus grande atteint 65 m de hauteur. Sur une note plus sinistre, c'est ici que le meurtrier en série Diogo Alves dévalisait ses victimes avant de les pousser dans le vide, ce qui lui valut d'être condamné à la potence en 1841.

JARDIM BOTÂNICO

Jardin botanique ; ☎ 213 921 800 ; www.jb.ul.pt ; Rua da Escola Politécnica 58 ; 9h-20h lun-ven, 10h-20h sam-dim avr-oct, 9h-18h nov-mars ; adulte/– de 6 ans/réduction 1,50 €/gratuit/75 ¢ ; M Avenida

Des étudiants à la main verte entretiennent amoureusement ce jardin depuis 1873. La vedette du lieu est le gigantesque figuier de Moreton Bay, près de l'entrée. On peut aussi voir des géraniums pourpres de Madère, des séquoias et des jacarandas parfumés.

MÃE D'ÁGUA

Mère de l'Eau ; ☎ 218 100 215 ; Praça das Amoreiras ; entrée 3 € ; 10h-18h lun-sam ; M Rato ;

Le roi posa la dernière pierre de l'aqueduc dans cet immense réservoir de 5 500 m^3. Achevée en 1834, la salle du réservoir, fraîche et bruissante d'échos, accueille des expositions temporaires. Allez explorer la Praça das Amoreiras, avec ses arbres, son café, ses fontaines et son aire de jeux.

MUSEU CALOUSTE GULBENKIAN

☎ 217 823 461 ; www.museu.gulbenkian.pt ; Avenida de Berna 45A ; adulte/– de 12ans/réduction 4/gratuit/2 €, gratuit dim ; 10h-18h mar-dim ; M São Sebastião

La collection du musée fut léguée à la nation portugaise par Calouste Gulbenkian, homme d'affaires passionné d'art. Le musée réunit une collection splendide et éclectique couvrant les principaux courants artistiques d'Orient et d'Occident. Dans l'ordre chronologique, commencez la visite par les masques mortuaires égyptiens, les pièces de monnaie grecques, les tapis persans et les chiens de Fo de l'époque Qing. Passez ensuite à l'Europe, avec les œuvres de maîtres tels que Van Dyck et Rubens. Voyez notamment le *Portrait d'un vieil homme* de Rembrandt, et le fougueux baiser de *L'Éternel Printemps* de Rodin. Clou de la collection : les exquis bijoux de René Lalique, notamment une sublime *Libellule* en or, émail,

Sous l'œil de Flora (1837), admirez le meilleur de l'art oriental et occidental au Museu Calouste Gulbenkian

pierre de lune et diamant. Concerts classiques gratuits le dimanche à midi.

PARQUE EDUARDO VII

Alameda Edgar Cardoso ; entrée libre ; 24h/24 ; M Parque ;
Les pelouses parfaitement entretenues, les haies symétriques et le nom de ce parc trahissent ses origines britanniques. Il est en effet dédié à Edouard VII, qui visita Lisbonne en 1903. Ce havre urbain, ombragé de palmiers, assez peu fréquenté, offre une vue imprenable sur la Praça do Marquês de Pombal et le Tage. Vous admirerez les fleurs exotiques de l'*estufa fria* (serre froide) et de l'*estufa quente* (serre chaude) (p. 100).

SHOPPING

AMOREIRAS

Centre commercial

213 810 200 ; Avenida Duarte Pacheco ; 10h-23h ; M Rato
Un immense centre commercial, avec des restaurants, un cinéma et 275 boutiques, dont de grandes enseignes comme Mango, Swatch et Foreva.

ARQUITECTÓNICA *Design*

213 979 605 ; Rua da Escola Politécnica 94 ; 10h30-19h30 lun-sam ; M Rato
Sorti tout droit des pages d'un magazine, voici le temple de la décoration d'intérieur. Lampes-bulles, tabourets en rondins sculptés, vaisselle éclatante et bijoux.

CHARCUTARIA BRASIL

Épicerie fine

213 885 644 ; Rua Alexandre Herculano 90 ; 8h-21h lun-ven, 8h-14h sam ; M Rato
Vous prévoyez un pique-nique ? Ce traiteur à l'ancienne propose saucisses, jambons, fromages et portos, et des plats à emporter, comme de savoureux volatiles rôtis.

EL CORTE INGLÉS

Grand magasin

213 711 700 ; Avenida António Augusto de Aguiar 31 ; 10h-22h lun-jeu, 10h-23h30 ven-sam ; M São Sebastião
Ce géant espagnol comporte neuf étages dédiés au shopping (mode, cosmétiques, alimentation), des cafés et un cinéma de 14 salles.

GUCCI, MA CHÈRE

L'Avenida da Liberdade est à Lisbonne ce que les Champs-Élysées sont à Paris. Si vous cherchez des vêtements de grands couturiers, vous êtes au bon endroit. Sortez votre Carte bleue pour écumer les boutiques Prada, Jimmy Choo, Armani, Louis Vuitton et Gucci… Ou bien rabattez-vous sur l'art moins dispendieux du *ver virtrinas* (lèche-vitrine).

LIVRARIA BUCHHOLZ *Livres*

213 170 580 ; Rua Duque de Palmela 4 ; 9h-19h lun-ven, 9h-13h sam ; M Marquês de Pombal
Cette librairie offre l'un des plus grands choix de romans anglais, français et allemands de Lisbonne, et des livres d'art pour ceux qui *falam* (parlent) un peu portugais.

MONTES DE SABOR

Épicerie fine

213 962 337 ; Rua da São Mamede 103 ; 10h-19h lun-sam ; 773
Spécialités de l'Alentejo : miel de montagne, *piri-piri*, huile d'olive et eau-de-vie de figue. Pour un pique-nique, prenez du *pata negra* (jambon cru) et du fromage de chèvre.

SE RESTAURER

CASA DA COMIDA

Portugais €€€

213 885 376 ; www.casadacomida.pt ; Travessa das Amoreiras 1; 13h-15h et 20h-23h lun-ven, 20h-23h sam ; M Rato
Avec sa cour plantée de fougères et sa salle meublée d'antiquités, cette sublime adresse s'impose pour une sortie romantique. La cuisine raffinée, est délicieuse (goûtez le chevreau rôti aux herbes), copieusement servie sur des assiettes en argent. Peut-être vous apportera-t-on gracieusement une coupe de champagne…

CERVEJARIA RIBADOURO

Portugais €€

213 549 411 ; Rua do Salitre 2 ; 12h-15h et 19h30-minuit ; M Avenida
Votre dîner vous attend dans un aquarium à l'entrée de cette brasserie prisée pour ses fruits de mer frais et son animation. Commandez une bière, fraîche, au bar en attendant (longuement) qu'une table se libère. Mieux vaut réserver.

ELEVEN

Portugais Moderne €€€

213 862 211 ; www.restauranteleven.com ; Rua Marquês da Fronteira ;

Derniers préparatifs avant un festin à l'Eleven

12h30-15h et 19h30-23h lun-sam ; M Marquês de Pombal
La simple mention de l'Eleven fait baver les gourmets sur les pages de leur guide Michelin. Au-dessus du Parque Eduardo VII, ce restaurant d'un raffinement exquis, étoilé, a mis l'accent sur les baies vitrées, les lignes épurées et les œuvres de Joana Vasconcelos. Joachim Koerper concocte ici une cuisine étonnante, comme le délice de sardines et sa glace à l'artichaut et à l'huile d'olive, ou le porc noir et ses gnocchis au cumin.

LOTUS *International* €

966 970 421 ; Avenida Duque d'Ávila ; 12h-15h, 19h-22h lun-sam ; M Saldanha ; V
Ce nouveau venu d'inspiration bouddhique propose un savoureux buffet végétarien à 9,80 €. La cour ensoleillée est l'endroit parfait pour siroter un de ses thés aux noms évocateurs.

LUCA *International* €€

213 150 212 ; www.luca.pt ; Rua de Santa Marta 35A ; 12h30-15h et 20h-23h lun-jeu, 12h30-15h et 20h-minuit ven, 20h-minuit sam ; M Avenida
Ce restaurant italien réunit les hommes d'affaires lisboètes à l'heure du déjeuner et les habitués en soirée. Il offre une cuisine créative, un service rapide et une salle élégante décorée des portraits noir et blanc de grandes stars d'Hollywood. Les crevettes et les raviolis au citron vert s'accordent parfaitement avec une bouteille de Pinot Grigio.

OLIVIER AVENIDA
Portugais moderne €€€

213 174 105 ; Rua Júlio César Machado 7 ; 7h-10h30, 12h30-15h et 19h-minuit ; M Avenida
Alors qu'on pensait que le chef Olivier da Costa était déjà bien trop occupé avec ses deux restaurants, voilà qu'il en ouvre un troisième. Et quel restaurant ! Un sublime espace à deux niveaux couleur champagne, avec des lustres à boules en forme de larmes et des chaises ourlées de perles. Prenez un cocktail au bar avant de déguster le bœuf de Kobe ou le sorbet à la pomme, qui mériteraient une petite visite du Michelin.

OS TIBETANOS
International €

213 142 038 ; Rua do Salitre 117 ; 12h-14h et 19h30-21h30 lun-ven ; M Avenida ; V
Les végétariens apprécient beaucoup ce petit joyau tibétain, installé au sein d'une école bouddhique. Retirez-vous dans la cour pour vous régaler d'un plat du jour, comme une quiche ou un curry, d'un jus de fruits frais et d'une glace aux pétales de rose.

Olivier Da Costa

Cuisinier et restaurateur lisboète

Qu'est-ce qui vous a donné envie de devenir cuisinier ? Mon père était cuisinier et j'ai grandi dans la cuisine, à mélanger les saveurs et à tester de nouvelles recettes. Je n'ai jamais été bon à l'école [sourire] et au lieu de décrocher mon premier job, j'ai ouvert mon premier restaurant, l'Olivier (p. 46), dans le Bairro Alto. **Décrivez votre cuisine.** Une cuisine de style méditerranéen, vigoureuse. Ma carte est sans prétention, fraîche et savoureuse. **Vos plats préférés ?** Dans le Bairro Alto, le carpaccio de poulpe, puis l'osso bucco au porto. À l'Avenida, je recommande le bœuf de Kobe au chutney de mangue et à la vinaigrette de framboise, suivi par le coulant au chocolat. **Le point fort de votre carrière ?** Avoir assuré les repas pour les MTV Music Awards à Lisbonne en 2005. **Vos projets ?** Veiller à la bonne marche de mes restaurants lisboètes. L'Avenida est le dernier : trois, ça suffit !

PANORAMA RESTAURANT
Portugais moderne €€€

213 120 000 ; Rua Latino Coelho 1 ; 12h30-15h et 19h30-23h30 ; M Picoas

Dominant les toits, ce restaurant au 25e étage du Sheraton baigne dans l'aura de célébrité du chef Henrique Sá Pessoa. Les créations d'Henrique se fondent sur des produits de saison. Essayez les crevettes tigrées à l'huile d'olive vanillée, suivies du carré d'agneau accompagné de polenta aux truffes.

TAMARIND *International* €€

213 466 080 ; Rua da Glória 43-45 ; 12h-15h et 19h-minuit dim-ven, sam dîner uniquement ; M Restauradores ; V

David Walia prépare de fabuleux plats indiens semés de piment, de gingembre et d'herbes fraîches. Goûtez les crevettes *korma*, les currys d'agneau et les *naans* d'une légèreté sans pareille.

VERSAILLES *Pâtisserie* €

213 546 340 ; Avenida da República 15A ; 19h30-22h ; M Saldanha

Dans cette belle *pastelaria* des années 1930 parée de marbre, de lustres et de stuc, des dames bien coiffées viennent savourer des gâteaux à la crème, des florentins, et les derniers cancans. Les serveurs ressemblent aux deux papys râleurs du Muppet Show.

L'AÇORDA

Les cuisiniers portugais excellent dans l'art d'accommoder les produits les plus simples, comme le démontre l'*açorda*, une soupe qui figure invariablement sur la carte des restaurants traditionnels lisboètes. Cette délicieuse spécialité se compose de pain rassis, d'oignons , d'ail et de tomates, le tout assaisonné d'huile d'olive. Enrichie de fruits de mer frais – souvent des crevettes, des moules et des petites palourdes –, elle prend une nouvelle dimension et est appelée *açorda de mariscos*.

PRENDRE UN VERRE

CHAFARIZ DO VINHO
Bar à vins

213 422 079 ; www.chafarizdovinho.com ; Rua Mãe d'Água ; 18h-2h mar-dim ; M Avenida

Dans les caves séculaires de l'aqueduc de Lisbonne, cette superbe *enoteca* propose des vins choisis par l'écrivain João Paulo Martins. Goûtez les meilleurs crus du pays, des blancs de l'Alentejo aux rouges du Douro.

HOUSE OF VODKA *Bar*

213 259 880 ; Rua da Escola Politécnica 27 ; 12h-15h lun-ven, 19h30-tard lun-sam ; M Avenida

Ce bar grise les habitants du coin avec ses 300 sortes de vodka. Les puristes préfèrent les marques russes, tandis que les buveurs plus aventureux testent des variétés à la pomme de terre ou à la figue. L'endroit sert aussi de bons plats portugais arrosés de vodka, bien sûr. Santé !

LA CAFFÉ *Café*

213 256 736 ; Avenida da Liberdade 129 ; 9h-23h lun-ven, 9h-minuit sam ; M Avenida

Ave ses tableaux aux murs et ses canapés mœlleux, cet accueillant restaurant/café/bar branché au-dessus de la boutique Lanidor vous tend les bras pour faire une pause après une séance de shopping. Wi-Fi gratuit.

LINHA D'ÁGUA *Café*

213 814 327 ; Jardim Amália Rodrigues ; 10h-20h ; M São Sebastião

Quand le soleil brille, détendez-vous au bord du lac, sur la terrasse de ce café aux grandes baies vitrées, un lieu agréable avec sa verdure et son animation.

SORTIR

CABARET MAXIME

Musique live

213 467 090 ; www.cabaret-maxime.com ; Praça da Alegria 58 ; entrée 5-10 € ; 22h-4h jeu-sam ; M Avenida

Ancien club de strip-tease et cabaret de style parisien Maxime a

Le cadre sensuel et séducteur du bar Cabaret Maxime témoigne de son sulfureux passé

licencié ses danseuses mais gardé ses murs rouges et ses miroirs dorés. Apprécié de la jeunesse branchée, il accueille des concerts bruyants donnés par des groupes locaux plus ou moins connus, et des soirées discothèque animées par des DJ.

CAMPO PEQUENO *Corrida*

☎ 217 932 442 ; www.campopequeno.com ; Avenida da República ; entrée 10-75 € ; ⏲ 22h jeu Pâques-oct ; Ⓜ Campo Pequeno

Qu'elle enflamme votre cœur ou vous révolte, impossible d'ignorer la *tauromaquia* (corrida). L'arène elle-même est éblouissante : une structure néomauresque en briques rouges, avec des coupoles bulbeuses et de gracieuses arcades. Voir aussi p. 140.

CINEMATECA PORTUGUESA *Cinéma*

☎ 213 596 200 ; www.cinemateca.pt ; Rua Barata Salgueiro 39 ; ⏲ lun-sam ; Ⓜ Avenida

La cinémathèque nationale projette des films d'art et d'essai portugais et étrangers en langue originale et organise parfois des rétrospectives en l'honneur de grands réalisateurs.

CULTURGEST *Théâtre*

☎ 217 905 155 ; www.culturgest.pt ; Rua do Arco do Cego ; entrée gratuite/18 € ; Ⓜ Campo Pequeno

Expérimentale, non conformiste et souvent provocatrice, la programmation de Culturgest comprend expositions, danse, poésie, musique et théâtre.

FUNDAÇÃO CALOUSTE GULBENKIAN *Salle de concert*

☎ 217 935 131 ; www.musica.gulbenkian.pt ; Avenida de Berna ; entrée 10-30 € ; Ⓜ Campo Pequeno

Cette salle offre une acoustique irréprochable et des concerts de qualité, donnés par de grands noms comme, récemment, le pianiste russe Boris Berezovsky. Le chef Lawrence Foster y dirige l'orchestre Gulbenkian.

DRIBBLEURS RIVAUX

Lisbonne abrite deux des trois meilleures équipes du pays, le SL Benfica et le Sporting Club de Portugal, qui entretiennent une vieille rivalité depuis que le Sporting a battu le Benfica 2-1 en 1907. Pour voir jouer le Benfica, rendez-vous à l'**Estádio da Luz** (☎ 217 219 555 ; www.slbenfica.pt ; Ⓜ Colégio Militar/Luz), un stade de 65 000 places baptisé *a catedral* (la cathédrale) par les supporters, qui a accueilli les grandes affiches de l'Euro 2004. Le Sporting, quant à lui, joue à l'ultramoderne **Estádio José de Alvalade** (☎ 217 514 06 9 ; www.sporting.pt ; Ⓜ Campo Grande). Plus de détails sur les matchs et les billets p. 138.

HOT CLUBE DE PORTUGAL *Musique live*

213 467 369 ; www.hcp.pt ; Praça da Alegria 39 ; 22h-2h mar-sam, concerts à 23h ; M Avenida
Lumières tamisées, taches de nicotine, posters omniprésents, le Hot Clube voit passer depuis 1948 la crème du jazz lisboète. Certains soirs, il faut jouer des coudes pour entrer dans cette salle bondée.

SÃO JORGE *Cinéma*

213 579 144 ; Avenida da Liberdade 175 ; M Avenida
Depuis que ce cinéma a ouvert ses portes en 1950 avec la diffusion du film *Les Chaussons rouges*, les amateurs du 7e art se pressent toujours ici devant des films grand public ou d'art et d'essai, notamment lors du festival Indie Lisboa (p. 24).

>ESTRELA, LAPA ET LES DOCA DE ALCÂNTARA

Contrastant fortement avec le Bairro Alto voisin, Estrela et Lapa baignent dans une ambiance bourgeoise qui se manifeste dans leurs rues aux maisons couvertes de vigne, leurs places verdoyantes et leurs galeries. Ce quartier plutôt huppé ne reçoit qu'une poignée de visiteurs, malgré des atouts comme la Basílica da Estrela, de style néoclassique et le Museu Nacional de Arte, où sont exposés des originaux de Dürer. Sortez des sentiers battus pour venir ici faire un tour dans les boutiques d'antiquités et explorer les allées qui descendent vers le Tage.

Au bord de l'eau, les Doca de Alcântara et les Doca de Santo Amaro ont connu leur propre révolution. Leurs entrepôts décrépits ont cédé la place à des restaurants, des sites culturels comme le Museu do Oriente et des bars branchés tels que l'Estado Líquido, combinant sushis et DJ. Le soir, quand le Ponte 25 de Abril s'éclaire, les deux poids lourds de la fête, le Kremlin et le Kapital, vibrent au son de la house et du garage.

ESTRELA, LAPA ET LES DOCA DE ALCÂNTARA

VOIR

Assembleia da República 1 F1
Basílica da Estrela 2 E1
Casa de Amália Rodrigues 3 F1
Cemitério dos Ingleses 4 E1
Jardim da Estrela 5 E1
Museu da Marioneta 6 F2
Museu do Oriente 7 C3
Museu Nacional de Arte Antiga 8 E3
Ponte 25 de Abril 9 B4

SHOPPING

Yron 10 F1

SE RESTAURER

A Travessa .... (voir 6)
Alcântara Café 11 B3
Café Apolo XI 12 E3
Doca Peixe 13 B4
Espalha Brasas 14 B4
Estado Líquido 15 F3
Kais 16 E3
Montado 17 F2
O Chá da Lapa 18 E3

PRENDRE UN VERRE

Hawaii 19 B4
Op Art Café 20 B4
Taberna e Artes 21 F2

SORTIR

Art .... (voir 24)
Blues Café 22 C3
Buddha Bar 23 B4
Fundaçáo Oriente .... (voir 7)
Kapital 24 E3
Kremlin 25 E3
Paradise Garage 26 C3
The Loft 27 F3

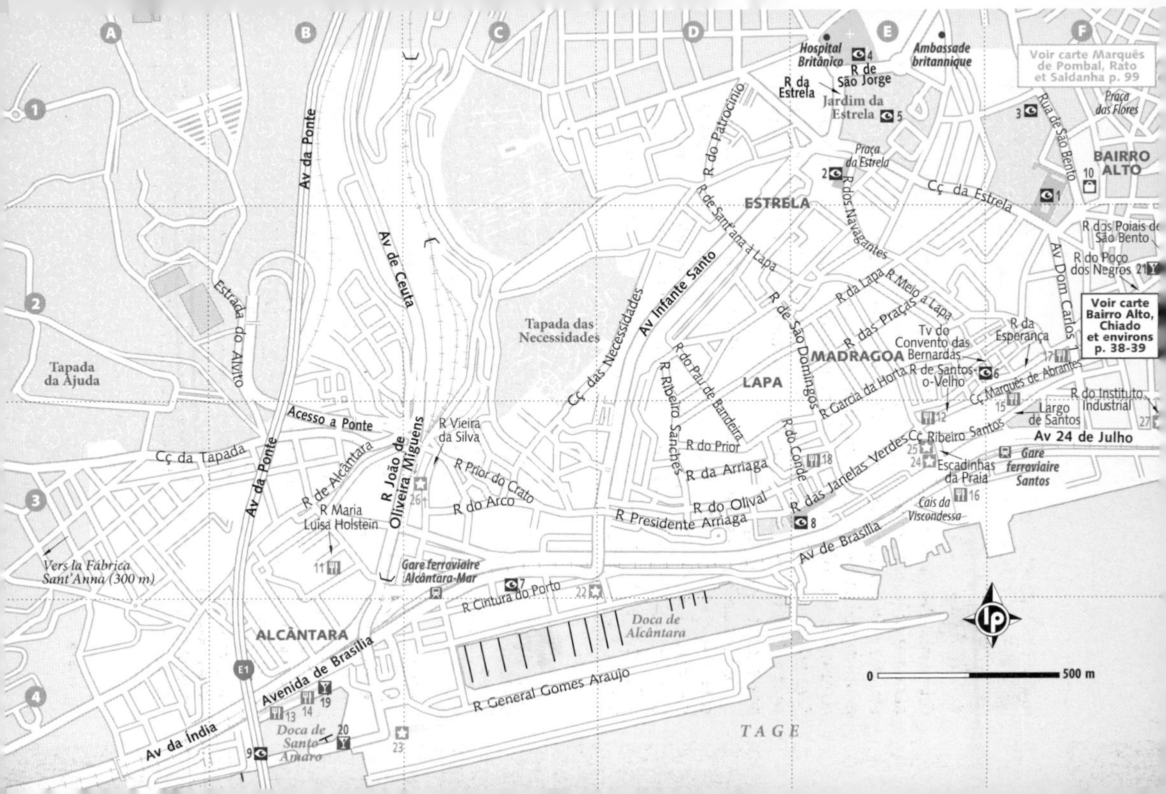

Hospital Britânico
Ambassade britannique
Voir carte Marquês de Pombal, Rato et Saldanha p. 99
R de São Jorge
R da Estrela
Jardim da Estrela
Praça das Flores
Rua de São Bento
BAIRRO ALTO
Praça da Estrela
R do Patrocínio
R dos Navagantes
Cç da Estrela
ESTRELA
R de Sant'ana à Lapa
R dos Poiais de São Bento
R do Poço dos Negros
Av Dom Carlos 1
Voir carte Bairro Alto, Chiado et environs p. 38-39
Estrada do Alvito
Av da Ponte
Av de Ceuta
Tapada das Necessidades
Cç das Necessidades
Av Infante Santo
R de São Domingos
R da Lapa
R Meio à Lapa
R das Praças
Tv do Convento das Bernardas
R da Esperança
MADRAGOA
LAPA
R do Pau de Bandeira
R Ribeiro Sanches
R Garcia da Horta
R de Santos-o-Velho
Cç Marquês de Abrantes
R do Instituto Industrial
Largo de Santos
Tapada da Ajuda
Acesso a Ponte
R Vieira da Silva
R João de Oliveira Miguens
R Prior do Crato
R do Prior
R do Conde
Cç Ribeiro Santos
Av 24 de Julho
Gare ferroviaire Santos
Cç da Tapada
R de Alcântara
R da Arriaga
R das Janelas Verdes
Escadinhas da Praia
R Maria Luísa Holstein
R do Arco
R do Olival
R Presidente Arriaga
Cais da Viscondessa
Av de Brasília
Vers la Fábrica Sant'Anna (300 m)
Gare ferroviaire Alcântara-Mar
R Cintura do Porto
Doca de Alcântara
ALCÂNTARA
Avenida de Brasília
R General Gomes Araujo
Av da Índia
Doca de Santo Amaro
TAGE
0
500 m

VOIR

ASSEMBLEIA DA REPÚBLICA

Assemblée de la République ; Rua de São Bento ; fermée au public ; 49

L'Assembleia da República, le parlement portugais, occupe le Palácio de São Bento de style néoclassique, au décor un rien pompeux : arches majestueuses, sculptures et colonnes doriques.

BASÍLICA DA ESTRELA

213 960 915 ; Praça da Estrela ; entrée libre ; 8h-13h et 15h-20h ; 25, 28

On voit de loin le dôme blanc de cette basilique néoclassique, achevée en 1790 sur ordre de la reine Maria Ire (qui repose ici) pour remercier Dieu de lui avoir donné un héritier mâle. L'intérieur est saisissant en fin d'après-midi, quand la lumière entre à flots par la coupole rayée.

CASA DE AMÁLIA RODRIGUES

213 971 896 ; Rua de São Bento 193 ; entrée 5 € ; 10h-13h et 14h-18h mar-dim ; 49

Le amoureux du fado se retrouvent dans l'ancienne maison de la grande *fadista* Amália Rodrigues ; remarquez les tags qui ont rebaptisé la rue "Rua Amália". La visite guidée qui dure 30 minutes permet de voir des costumes de scène, des portraits et d'écouter des enregistrements.

CEMITÉRIO DOS INGLESES

Cimetière anglais ; Rua de São Jorge ; entrée libre ; journée ; 25, 28

Sonnez pour qu'on vous fasse entrer dans cet énigmatique cimetière envahi par les cyprès. Il abrite notamment la tombe du romancier Henry Fielding, auteur de *Tom Pouce*, qui arriva à Lisbonne en 1754 pour se refaire une santé et mourut deux mois plus tard.

JARDIM DA ESTRELA

Rua da Estrela ; 7h-minuit ; 25, 28;

Pour échapper à la foule, entrez dans cette oasis de verdure en face de la basilique. Reposez-vous à l'ombre des banians ou flânez dans les allées sinueuses bordées d'araucarias du Chili, de saules et d'oliviers. Les enfants apprécient la mare aux canards et l'aire de jeux d'inspiration animalière.

MUSEU DA MARIONETA

Musée de la Marionnette ; 213 942 810 ; Rua da Esperança 146 ; adulte/réduction 3/2 € ; 10h-13h et 14h-18h mar-dim ; 706 ;

Ce musée enchanteur présente de nombreuses pièces rares : théâtre d'ombres birman, marionnettes chinoises à main, figurines à tiges de Java, marionnettes d'opéra sicilien.

On voit aussi le Guignol portugais et son homologue russe Petrouchka. Vous pensez toujours que les marionnettes sont pour les enfants ? Attention, votre nez s'allonge…

MUSEU DO ORIENTE

213 585 200 ; www.museudooriente.pt ; Doca de Alcântara ; adulte/réduction 4/2 € ; 10h-18h mer-lun, 10h-22h ven ; 15, 18

Site phare des docks, ce musée dédié à la culture chinoise retrace l'histoire des relations entre le Portugal et l'Orient – depuis les premiers balbutiements de la colonisation jusqu'au culte des ancêtres. Voir aussi p. 21

MUSEU NACIONAL DE ARTE ANTIGA

Musée national d'Art ancien ; 213 912 800 ; www.mnarteantiga-ipmuseus.pt ; Rua das Janelas Verdes 9 ; adulte/réduction 4/2 €, gratuit dim 10h-14h ; 14h-18h mar, 10h-18h mer-dim ; 25

Dans un beau palais du XVIIe siècle, ce musée présente une magnifique collection d'art européen et asiatique. Ne manquez pas les *Panneaux de São Vicente* de Nuno Gonçalves, le *Saint Jérôme* de Dürer et le lugubre *Neige* de Courbet. Parmi les autres trésors figurent l'*Ostensoir de Belém* serti de pierres précieuses, et des paravents

Une effigie de Yellamma (déesse indienne des déchus) au Museu do Oriente

japonais du XVIe siècle décrivant l'arrivée des *namban* ("barbares du Sud"), nom donné aux explorateurs portugais.

PONTE 25 DE ABRIL

Doca de Santo Amaro ; 15, 28

Si vous avez une impression de déjà-vu devant ce pont suspendu, rien d'étonnant : c'est la copie conforme du Golden Gate Bridge de San Francisco, construit par la même société en 1966 et presque aussi long, avec ses 2,27 km. Il s'appelait "pont Salazar" jusqu'à la révolution de 1974 (p. 146), date à laquelle un courageux manifestant enleva le "Salazar" et le rebaptisa "25 de Abril".

SHOPPING

Les amateurs d'antiquités et d'art contemporain iront chiner dans la Rua de São Bento et la Rua das Janelas Verdes.

LISBONNE DESIGN

Des architectes, des décorateurs d'intérieur et des artistes lisboètes se sont associés pour créer le Santos Design District, dont le but est de promouvoir un design novateur et de donner un visage plus moderne aux galeries, bars, théâtres et boutiques du quartier. On peut notamment voir le résultat de leur travail à l'Yron (ci-contre), à l'Estado Líquido (p. 116), au Museu Nacional de Arte Antiga (p. 113) et au Montado (p. 117). Pour en savoir plus, consultez le www.santosdesigndistrict.com.

FÁBRICA SANT'ANNA

Céramiques

213 638 292 ; www.fabrica-santanna.com ; Calçada da Boa-Hora 96 ; 9h-12h30 et 14h-18h lun-ven ; 732

Les *azulejos* sont synonymes de Lisbonne. La Fábrica Sant'Anna en fabrique de très beaux à l'aide de techniques traditionnelles depuis 1741. Regardez les pièces exposées et faites votre choix…

YRON *Design*

969 117 422 ; Rua de São Bento 170 ; 14h-20h lun-sam ; 706

Les amateurs de design apprécient cette nouvelle galerie dont les expositions temporaires présentent les œuvres de créateurs locaux, avec un accent sur l'écologie. À notre dernière visite : de l'artisanat portugais du XXIe siècle, comme des coqs insolites et des tabourets en liège.

SE RESTAURER

A TRAVESSA *Portugais* €€€

213 902 034 ; Travessa do Convento das Bernardas 12 ; 12h30-15h30 et 20h-minuit lun-ven, sam dîner uniquement ; 25, 706

Le cloître paisible et les voûtes en brique de ce couvent du XVIIe siècle accentuent le romantisme. António

Alberto Bruno
Directeur de la Fábrica Sant'Anna

Comment fabriquez-vous vos azulejos ? Peu de choses ont changé depuis 1741. Nos 22 artisans font tout à la main : malaxage et découpe de la terre, cuisson, vernissage et peinture. **Les plus appréciés ?** Difficile à dire. Sans doute les *azulejos* géométriques classiques bleus et blancs et les carreaux de cuisine. **Et les Lisboètes ?** Les *azulejos* font tellement partie de leur vie qu'ils ne les considèrent pas comme un art. **Pourquoi vos azulejos sont-ils spéciaux ?** Ils sont faits à la main et il n'y en a pas deux pareils – un peu plus d'ocre ici, un millimètre en moins là ; certains sont rugueux, d'autres lisses. Chacun a son charme. **Les meilleurs endroits pour en voir à Lisbonne ?** Le Palácio Nacional de Sintra (p. 22) pour les pièces traditionnelles, et les stations de métro (p. 137), notamment Campo Grande et Oriente, pour les créations contemporaines.

Moita aiguise l'appétit avec du pain frais cuit au four à bois et des champignons sauvages à l'huile de truffe, suivis d'un rôti de porc et d'une crème glacée aux noix et pruneaux.

ALCÂNTARA CAFÉ

Portugais moderne €€€

213 637 176 ; Rua Maria Luísa Holstein 15 ; 20h-1h ; 15, 28

Prenez le velours rouge et le bois poli d'une brasserie Art déco, ajoutez une cuisine portugaise créative, et vous avez l'Alcântara, un ancien entrepôt qui offre un décor de style Pigalle, un large choix de vins et de délicieux fruits de mer en sauce.

CAFÉ APOLO XI *Café* €

213 961 938 ; Rua de Santos-o-Velho 92 ; 6h30-20h lun-sam ; 25, 74

À l'écart des touristes, ce café d'aspect banal attire les employés du coin avec ses savouveux plats du jour comme des boulettes de viande ou de la seiche farcie.

DOCA PEIXE *Portugais* €€€

213 973 565 ; Doca de Santo Amaro, Armazém 14 ; 12h-15h et 21h30-1h mar-dim ; 15, 28

Ce restaurant est incontestablement salué pour la fraîcheur de ses fruits de mer ; vous verrez votre repas dans l'aquarium près de l'entrée. Située pratiquement sous le Ponte 25 de Abril, la terrasse fourmille de Lisboètes qui viennent dévorer des huîtres au citron ou de la morue aux palourdes.

ESPALHA BRASAS

International €€

213 962 059 ; Doca de Santo Amaro, Armazém 9 ; 12h-1h lun-sam ; 15, 28

Cet ancien entrepôt de 1910 concocte des plats très appréciés, tels que des côtelettes grillées ou du bar aux pignons de pin. La terrasse sur les quais est idéale pour se détendre en été. La sculpture nue et le vieux juke-box apportent une note d'excentricité.

ESTADO LÍQUIDO *Sushis* €€

213 972 022 ; Largo de Santos 5A ; 20h-2h dim-mer, 20h-3h jeu, 20h-4h ven-sam ; 15, 60

Ce lieu ultrabranché présente un cadre inspiré du feng shui : panneaux rayés couleur berlingot, sièges bas et éclairage apaisant. Détendez-vous avec un massage, puis savourez des temaki sushis et une *caipirinha* au kiwi avant de descendre danser sur de la musique électronique ou montez vous relaxer dans le salon d'un blanc de neige.

KAIS *Fusion* €€€

213 932 930 ; Cais da Viscondessa ; 20h-minuit lun-jeu, 20h-1h ven-sam ; 15, 28

Cet entrepôt en brique reconverti arbore un style industriel particulièrement chic adouci par des bougies, du jazz et des touches bucoliques (oliviers noueux et fontaines). La cuisine, comme le carpaccio de canard au pâté d'olives noires, fait planer la perspective d'une étoile au Michelin.

MONTADO *Portugais* €€

213 909 185 ; Calçada Marquês de Abrantes 40A ; 19h30-minuit mar-jeu, 19h30-1h ven-sam ; 25, 74

Bemvindo aux carnivores ! Spécialité : le bœuf bio élevé dans les riches pâturages de l'Alentejo. Régalez-vous d'un énorme steak et notez les touches décoratives insolites, comme les lustres en bois de cerf et la Joconde bovine.

O CHÁ DA LAPA *Café* €

213 900 888 ; Rua do Olival 6 ; 9h-19h ; 60

Envie d'une *cup of tea* ? Ce très chic salon de thé vous ramène à l'époque victorienne, avec son papier tontisse

Service rapide et sushis frais dans le décor branché de l'Estado Liquido (p. 116)

MANGER VÉGÉTARIEN

La viande étant l'ingrédient de base de la cuisine portugaise, les végétariens trouveront la vie dure à Lisbonne, d'autant plus que de nombreux plats sans viande – y compris des desserts – sont préparés avec du bouillon de viande ou de la graisse animale. Le sort des pesco-végétariens et des lacto-ovo végétariens est un peu meilleur. Les premiers pourront savourer de succulents poissons frais, les seconds d'excellents fromages.

à l'aspect velouté, ses miroirs dorés et ses serveuses à l'air sévère. Les clients ne jurent que par ses scones, ses petits sandwichs et ses éclairs.

PRENDRE UN VERRE

Les Doca de Santo Amaro et les Doca de Alcântara offrent la possiblité de boire un verre au bord de l'eau, avec vue sur le Ponte 25 de Abril, avant de passer la soirée en discothèque.

HAWAII *Bar*

213 900 010 ; Doca de Santo Amaro ; 23h-5h ; 15, 28, 201

Ambiance jeune, bruyante et très sympathique qui attire les 18-30 ans. Les *mojitos* sont peu coûteux, les rythmes latinos entraînants, et la planche de surf évoque la couverture d'un album des Beach Boys.

OP ART CAFÉ *Bar*

213 956 787 ; Doca de Santo Amaro ; 15h-2h ou 6h mar-dim ; 15, 28, 201

À quelques pas seulement des autres bars des Docas, cette petite adresse au décor verre et de bois reste un secret bien gardé. La terrasse est idéale pour prendre un verre. Le week-end, des DJ passent de la house et de la groove jusqu'au lever du soleil.

TABERNA E ARTES *Bar*

960 268 035 ; Rua do Poço dos Negros 2 ; 16h-4h ; 15, 28

Antônio gère ce petit bar excentrique rempli de sets de table en vinyle, de livres de poésie aux pages cornées et d'affiches de l'époque de Franco. Buvez tranquillement une bière en écoutant du flamenco.

SORTIR

Abritant certaines des boîtes les plus courues de Lisbonne, les Doca de Alcântara vibrent jusqu'à la *madrugada* (l'aube). Soignez votre tenue vestimentaire.

ART *Lounge/Discothèque*

213 905 165 ; Avenida 24 de Julho 66 ; entrée 5-10 € ; 21h30-4h ; 15, 28, 201

Les fashion victims et les buveurs de Moët se balancent sur de la house dans ce lieu très branché avant de finir la soirée au Kapital ou au Kremlin. Le décor est aussi surfait que les sourires Ultra Brite : colonnes revêtues de plumes et lustres "gouttes d'eau".

BLUES CAFÉ

Lounge/Discothèque

☎ 213 957 085 ; Rua Cintura do Porto, Armazém 3 ; prix d'entrée variable ; 20h30-4h mar-jeu, 20h30-5h sam ; 15, 28, 201

Or et velours rouge : cet entrepôt mêle luxe des années 1920 et style industriel. Le bois sombre et les abat-jour à glands ajoutent une note nostalgique, et le fond sonore oscille de la musique d'ambiance à la house. Relaxez-vous sur la terrasse sur les quais. L'animation monte d'un cran à partir de 1h du matin.

BUDDHA BAR

Lounge/ Discothèque

☎ 395 05 55 ; www.buddha.com.pt ; Gare Marítima de Alcântara 30 ; entrée 10-20 € ; 22h-4h mar-jeu, 20h-6h ven-sam ; 15, 28, 201

Non, vous n'êtes pas à Paris, mais l'ambiance est la pratiquement la même : musique douce, clients jeunes et beaux et décor oriental (bois exotique, lampes de style marocain, coussins dorés). Profitez de la magnifique vue sur le fleuve depuis la terrasse.

FUNDAÇÃO ORIENTE

Salle de concert

☎ 213 585 244 ; www.foriente.pt ; Doca de Alcântara ; billets 3-20 € ; 15, 28, 201

Programme éclectique allant des chants tibétains aux films d'art et d'essai : musique, cinéma, théâtre, danse contemporaine et marionnettes.

KAPITAL *Discothèque*

☎ 213 957 101 ; Avenida 24 de Julho 68 ; entrée 10-20 € ; 22h30-6h mar-sam ; 22h30-4h dim-lun ; 15, 28, 201

Franchissez le service d'ordre (mieux vaut être jeune, beau et riche) et vous passerez une excellente soirée parmi des jeunes loups de la politique et des Lisboètes nantis dansant sur de la house et des tubes des années 1980. Le test : accéder au salon VIP.

KREMLIN

Discothèque

☎ 213 525 867 ; Escadinhas da Praia 5 ; entrée 10 € ; minuit-6h mar-jeu, minuit-9h ven-sam ; 15, 28, 201

Un peu moins courue depuis qu'elle s'est fait détrôner par le Lux (p. 75), cette boîte vaut quand même le détour si vous obtenez le feu vert des videurs staliniens. Gays, hétéros et pseudo-mannequins s'éclatent sur de la house dans un cadre oriental (éléphants, bouddhas, etc.). La fête bat son plein vers 3h.

PARADISE GARAGE *Discothèque*

☎ 217 904 080 ; Rua João Oliveira Miguéns 38 ; prix d'entrée variable ; minuit-6h jeu-dim ; 60

DJ Enrage et VJ Water vous font danser sur du garage. La soirée disco du samedi et les concerts organisés régulièrement attirent un mélange composé de gays et d'hétéros. Heureusement, on entre ici assez facilement.

THE LOFT *Discothèque*

☎ 213 964 841 ; www.theloft.pt ; Rua do Instituto Industrial 6 ; entrée 5-15 € ; minuit-4h mer-jeu, minuit-9h30 ven-sam ; 15, 28, 201

Murs à pois, tabourets aux couleurs primaires et éclairage violet donnent un certain punch à cette nouvelle adresse. Installez-vous, commandez une *caipirinha* et joignez-vous aux jeunes Lisboètes dansant sur de la house.

>EXCURSIONS

Prenez exemple sur les Lisboètes – profitez de la Praia do Tamariz, à Estoril (p. 126)

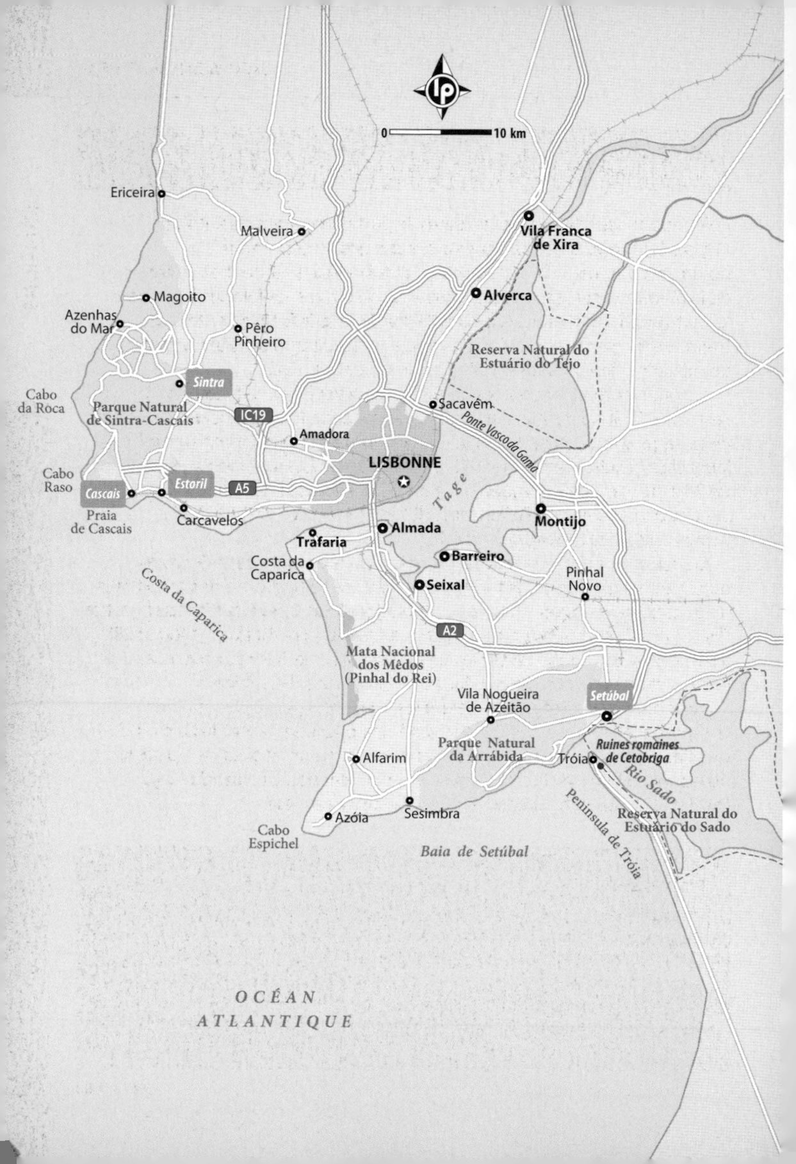

0
10 km
Ericeira
Malveira
Vila Franca
de Xira
Magoito
Alverca
Azenhas
do Mar
Pêro
Pinheiro
Reserva Natural do
Estuário do Tejo
Sintra
Cabo
da Roca
Parque Natural
de Sintra-Cascais
Sacavém
IC19
Ponte Vasco da Gama
Amadora
LISBONNE
Cabo
Raso
Cascais
Estoril
A5
Tage
Montijo
Praia
de Cascais
Carcavelos
Almada
Trafaria
Barreiro
Costa da
Caparica
Pinhal
Novo
Seixal
Costa da Caparica
A2
Mata Nacional
dos Mêdos
(Pinhal do Rei)
Vila Nogueira
de Azeitão
Setúbal
Parque Natural
da Arrábida
Ruines romaines
de Cetobriga
Alfarim
Tróia
Rio Sado
Península de Tróia
Reserva Natural do
Estuário do Sado
Azóia
Sesimbra
Cabo
Espichel
Baia de Setúbal
OCÉAN
ATLANTIQUE

SETÚBAL

Célèbre pour ses délicieuses sardines, le port dynamique de Setúbal (*"chtou-bal"*) présente aussi quelques sublimes attraits naturels, notamment le magnifique **Parque Natural da Arrábida**, avec ses baies dignes de la Méditerranée, ses collines couvertes de pins et ses falaises à pic. Pour les naturalistes amateurs, la **Reserva Natural do Estuário do Sado** abrite une trentaine de grands dauphins, des populations de cigognes blanches et un millier de flamants roses qui s'y rassemblent en hiver.

On vient surtout ici pour les dauphins. Les circuits en bateau jusqu'à l'estuaire du Sado permettent d'observer ces animaux joueurs qui montrent leurs nageoires dorsales sous l'œil ravi des passagers en faisant entendre leurs clics et sifflements caractéristiques. Les agences, qui facturent de 30 à 40 € la demi-journée, comprennent **Vertigem Azul** (☎ 265 238 000 ; www.vertigemazul.com ; Rua Praia da Saúdé 11D) et **Mil Andanças** (☎ 265 532 996 ; www.mil-andancas.pt ; Avenida Luísa Todi 121).

De retour sur la terre ferme, promenez-vous dans les rues piétonnes du centre-ville et longez les palmiers, les arcades et les fontaines de la Praça de Bocage pour arriver à la saisissante **Igreja de Jesus** (Praça Miguel Bombarda ; entrée libre ; 9h-13h et 14h-17h30 mar-dim). L'architecte Diogo de Boitaca (1460-1528) a laissé éclater toute sa fantaisie dans cette église de 1490 aux tourelles effilées et aux piliers en spirale faits de marbre rose d'Arrábida.

Les poissons de Setúbal attirèrent les Romains il y a 2 000 ans. Pour comprendre pourquoi, rejoignez l'extrémité ouest de l'Avenida Luísa Todi, où d'innombrables restaurants servent du *caldeirada* (ragoût de poisson) ou du *choco frito* (seiche frite) arrosé d'un muscat doux. La **Casa Santiago** (☎ 265 221 688) offre un cadre agréable et une terrasse.

PRATIQUE

Situation À 47 km au sud-est de Lisbonne
S'y rendre De Terreiro do Paço à Barreiro (1,75 € ; 30 min ; toutes les 10-20 minutes), puis de Barreiro à Setúbal (1,70 € ; 45 min ; toutes les heures) ; Traversez le Ponte 25 de Abril et suivez l'autoroute A2 (Autoestrada do Sul) vers le sud. Comptez 48 km de trajet et environ 45 minutes.
Contact www.mun-setubal.pt
Quand partir Toute l'année

SINTRA

Ses montagnes onduleuses, ses forêts plantées de fougères et ses palais féeriques confèrent à Sintra une beauté irréelle. Sintra-Vila, la vieille ville classée par l'Unesco, offre le fabuleux spectacle de villas pastel nichées dans des collines luxuriantes qui descendent vers les eaux bleues de l'Atlantique. Quand Lisbonne étouffe sous la chaleur, Sintra bénéficie d'un microclimat frais et humide. C'est une excursion incontournable, à faire en semaine pour éviter la foule.

Ici se sont succédé les Celtes adorateurs de la Lune, les Maures, qui bâtirent une forteresse, et les rois portugais du XVIIIe siècle qui venaient profiter des jardins en été. Même le poète britannique Byron a chanté la gloire de ce "glorieux Eden, labyrinthe de collines et de vallons", qui lui a inspiré son épopée en vers *Le Pèlerinage du chevalier Harold*. Extravagante et exquise, Sintra renferme des tourelles couvertes de lierre où les âmes romantiques peuvent guetter le prince charmant, des jardins botaniques luxuriants et des forêts parsemées de blocs de granit qui évoquent les billes d'un ogre.

Le point fort de Sintra-Vila est le **Palácio Nacional de Sintra** (☎ 219 106 840 ; adulte/– de 15 ans/réduction 5/gratuit/2 €, gratuit dim 10h-14h ; ⌚ 10h-17h30 jeu-mar), de style bavarois et manuélin, dont les fameuses cheminées coniques figurent sur toutes les cartes postales. Voyez p. 22. Non loin, la **Quinta da Regaleira** (☎ 219 106 650 ; Rua Barbosa du Bocage ; adulte/– de 14 ans /réduction 6/3/4 € ; ⌚ 10h-18h30 fév-mars et oct, 10h-20h avr-sept, 10h-17h30 nov-jan) est une villa néomanuéline dans un fantastique jardin ponctué de gargouilles grimaçantes, de grottes et de lacs. Ne manquez pas le puits initiatique, qui descend à 30 m de profondeur vers un dédale de galeries souterraines éclairées par des guirlandes électriques.

Une marche de 50 minutes à travers les pins et les eucalyptus conduit au **Palácio Nacional da Pena** (☎ 219 105 340 ; www.parquesdesintra.pt ; adulte/– de 5 ans/

PRATIQUE

Situation À 28 km au nord-ouest de Lisbonne
S'y rendre 🚆 De l'estação do Rossio à Sintra (1,70 € ; 40 min ; toutes les 20-30 minutes) ; 🚗 Quittez Lisbonne vers le nord par l'IC19. Comptez 31 km de trajet et environ 35 minutes.
Contact www.cm-sintra.pt
Quand partir ⌚ Toute l'année

DOUCEURS LOCALES

Sintra est célèbre pour ses délicieuses friandises. Depuis 1756, la **Fábrica das Verdadeiras Queijadas da Sapa** (☎ 219 230 493 ; Volta do Duche 12) fournit aux têtes couronnées des *queijadas*, petits gâteaux fourrés d'un mélange de fromage frais, sucre, farine et cannelle. Depuis 1952, la **Casa Piriquita** (☎ 219 230 626 ; Rua das Padarias 1-5) tente les habitants avec un autre délice sucré, le *travesseiro* (traversin), une pâte feuilletée tournée, roulée et pliée sept fois, puis remplie d'une crème aux amandes et au jaune d'œuf et saupoudrée de sucre.

réduction 11/gratuit/9 €, gratuit dim 10h-14h 9h45-19h30 juin-oct, 10h-18h nov-mai), incroyable mélange de dômes bulbeux, de portes maures, de serpents en pierre et de tours crénelées aux tons rose et jaune. Il fut bâti en 1840 pour Ferdinand de Saxe Coburg-Gotha, époux de la reine Marie II et neveu du roi fou Louis de Bavière. A l'intérieur, admirez les porcelaines de Meissen, les meubles signés par Eiffel, les fresques en trompe-l'œil et les nus inachevés peints par Charles Ier.

S'élevant à 412 m au-dessus du niveau de la mer, le **Castelo dos Mouros** (☎ 219 107 970 ; adulte/réduction 5/3€ ; 9h-20h de mai à mi-sept, 10h-18h de mi-sept à avr) est une sorte de Grande Muraille de Chine en miniature. Comme l'échine d'un dragon, les remparts de ce château maure du IXe siècle ondulent à travers les collines, en passant devant des blocs de pierre aussi gros que des bus. Quand les nuages se dissipent, la vue sur les collines et les vallons de Sintra sont – comme la montée jusqu'au site – à couper le souffle.

Retournez à Sintra-Vila pour vous balader dans l'**Escadinhas do Teixeira** et voir l'excellente collection d'après-guerre du **Museu de Arte Moderna** (☎ 219 248 170 ; Avenida Heliodoro Salgado ; adulte/–de 18 ans 3 €/gratuit, gratuit dim 10h-14h ; 10h-18h mar-dim), qui présente notamment des œuvres de Warhol, Lichtenstein, Pollock et Klein.

En début de soirée, allez prendre l'apéritif à la **Binhoteca** (☎ 219 240 849 ; Rua das Padarias 16), où vous pourrez déguster un porto ou un vin du Douro corsé en grignotant du boudin au cumin et aux pommes. **Tacho Real** (☎ 219 235 277 ; Rua da Ferraria 4) possède une terrasse et une salle voûtée du XVIIe siècle où on vient manger des moules à l'ail et du crabe farci.

CASCAIS ET ESTORIL

En 1870, le roi Luís Ier décida d'établir sa résidence d'été à Cascais. Depuis, ce village de pêcheurs est devenu une station balnéaire appréciée des Lisboètes. Ses trois baies dorées, la Praia da Conceição, la Praia da Rainha et la Praia da Ribeira, attirent les amateurs de bains de soleil, les familles venues barboter dans les eaux froides de l'Atlantique et les adolescents énamourés. Le week-end, les places sont chères !

Délaissez donc les plaisirs de la plage pour partir à la découverte de la ville. Sur la charmante **Praça 5 de Outubro**, l'hôtel de ville Renaissance est couvert d'*azulejos* et de mosaïques qui donnent l'impression d'onduler. Les allées partant de la place ne manquent pas de glaciers, de bars et de bistros, mais aussi de boutiques chics dans la Rua Frederico Arouca. Au **marché au poisson** (17h lun-sam), la pêche du jour est vendue aux enchères dans une ambiance animée.

De la Praia da Ribeira, partez à l'ouest dans le pittoresque Beco dos Invalides, dont les petites maisons pastel et les bougainvilliers résonnent du chant des oiseaux. Vous arriverez au **Parque Marechal Carmona** (Avenida da República ; entrée libre ; 8h30-19h45), planté de palmiers, de pins et de banians noueux. Les enfants adorent les canards et le terrain de jeux, mais évitez le sinistre mini-zoo. Au-dessus des arbres pointe le bâtiment jaune canari du **Museu Condes de Castro Guimarães** (214 825 407 ; entrée 1,60 € ; 10h-17h mar-dim), une étonnante demeure d'inspiration maure (XIXe siècle), dont les trésors incluent un cloître paisible, des soieries orientales et un rare manuscrit du XVIe siècle dépeignant Lisbonne avant le tremblement de terre.

Une promenade de 1,5 km, ourlée de criques et jalonnée de petits restaurants de poissons, mène de Cascais à Estoril. Suivez-la à pied ou procurez-vous un vélo gratuit au **Largo da Estação** (8h-19h), à côté de la gare ferroviaire. Jadis qualifiée de "Riviera portugaise", Estoril présente aujourd'hui

PRATIQUE

Situation À 29 km à l'ouest de Lisbonne
S'y rendre De Cais do Sodré à Cascais via Estoril (1,70 € ; 40 min ; toutes les 20-30 minutes) ; Suivez l'A5 vers l'ouest de Lisbonne. Le trajet fait 32 km et prend environ 35 minutes.
Contact www.visiteestoril.com
Quand partir Mai-sept

AU CREUX DE LA VAGUE

Guincho, à 7 km au nord-ouest de Cascais, est idéal pour le surf, la planche à voile et le parachute ascensionnel. D'énormes rouleaux déferlent sur cette plage sauvage flanquée de dunes qui a accueilli le championnat du monde de surf. Pour vous y mettre, renseignez-vous sur les cours offerts par la **Moana Surf School** (☎ 964 449 436 ; www.moanasurfschool.com) ou la **Guincho Surf School** (☎ 965 059 421), ou louez une planche à **Aerial Wind e Surf** (☎ 917 890 036). Le courant peut être dangereux pour les baigneurs, mais les non-surfeurs viennent quand même profiter du sable doux, des fruits de mer frais et des sublimes couchers de soleil.

des villas à tourelles du XIXe siècle, des pelouses ombragées de palmiers et des cafés au bord de l'eau. Dominée par le Chalet Barros, la Praia de Tamariz draine une foule diversifiée. Les riches retraités côtoient ici la jeunesse dorée lisboète séduite par la piscine d'eau de mer gratuite.

Durant la Seconde Guerre mondiale, Estoril grouillait d'espions et d'exilés royaux. Aujourd'hui, allez tenter votre fortune au poker ou voir un spectacle de style Las Vegas au **Casino Estoril** (☎ 214 667 700 ; www.casino-estoril.pt ; Avenida Marginal ; salle de jeu/salle des machines à sous 4 €/gratuit ; 🕒 15h-3h), qui inspira à Ian Fleming son *Casino Royale*.

Cascais compte d'excellents restaurants ouverts toute l'année. Le **Jardim dos Frangos** (☎ 214 861 717 ; Avenida Marginal) sert du poulet au *piri-piri*, l'éclatante **Confraria** (☎ 214 834 614 ; Rua Luís Xavier Palmeirim 14) prépare de très bons sushis tandis que **A Carvoaria** (☎ 214 830 406 ; Rua João Luís de Moura 24) est un petit joyau qui propose de la cuisine sud-africaine, aussi bien des filets d'autruche que du *boerewors*, un plat à base de saucisses. Pour manger des fruits de mer à petit prix avec vue sur l'océan, essayez l'**Esplanada Santa Marta** (☎ 960 118 616 ; Praia de Santa Marta).

>ZOOM SUR…

Que vous aimiez la mode, la fête, la grande cuisine, le design ou la botanique, Lisbonne ne vous décevra pas. Ici, vous écouterez du vrai fado, plongerez dans l'ambiance gay du Príncipe Real, admirerez des Rembrandt, des édifices manuélins et de splendides *azulejos*. Sexy et nostalgique, cultivée et branchée, *Lisboa* possède de multiples facettes.

N'hésitez pas à allez déguster les bons petits plats du restaurant O Barrigas (p. 46)

SHOPPING

Le shopping lisboète répond à toutes les envies : vêtements vintage et glamour dans le Bairro Alto, grands couturiers dans l'Avenida da Liberdade, fripes rétro dans le Baixa et le Rossio, boutiques élégantes au Rato et à Saldanha. Chaque quartier possède une ambiance et un style différent.

Temple des jeunes créateurs et du vintage chic, le Bairro Alto regroupe les boutiques les plus tendance de Lisbonne. Happy Days (p. 42) ressuscite les années 1950 avec ses robes de bal, El Dorado (p. 41) regorge de fringues psychédéliques des années 1960, tandis qu'Agência 117 (p. 41) vous relooke avec ses robes éclatantes et ses coupes de cheveux glamour. Si les pantalons à pattes d'éléphants ne sont pas votre genre, optez pour les créations modernes de Lena Aires (p. 42) et de Fátima Lopes (p. 42) ou les Adidas de collection de Sneakers Delight (p. 44). Les nouveaux designers présentent leur travail à Fabrico Infinito (p. 41), des lustres recyclés aux sacs La.Ga, de Jorge Moita (p. 43).

Dans le quartier huppé du Chiado, les grands noms de la mode et les couturiers portugais sont installés dans de beaux bâtiments restaurés des

XVIIIe et XIXe siècles vers la Rua do Carmo (carte p. 38). Découvrez les lignes audacieuses et féminines d'Ana Salazar (p. 42), les gants fabriqués main de Luvaria Ulisses (p. 42) et les vêtements enchanteurs de Story Tailors (p. 44). Pour des souvenirs insolites, voyez The Wrong Shop (p. 44).

La Baixa, le Rossio et l'Alfama offrent un retour dans le temps avec leurs boutiques d'époque et leur service à l'ancienne : merceries dans la Rua da Conceição (p. 57), conserves de sardines à la Conserveira de Lisboa (p. 55), chapeaux à Azevedo Rua (p. 55). Les gourmets achètent du fromage et de la *pata negra* (jambon sec) à Silva & Feijó (p. 57), ainsi que des vins et portos à Napoleão (p. 56). Dans la Rua Augusta (p. 57), les boutiques de souvenirs kitsch vendent des coqs ou des tramways miniatures.

Les élégantes s'habillent dans les boutiques chichiteuses de l'Avenida da Liberdade (p. 102) ou hantent le grand magasin espagnol El Corte Inglés (p. 102), un peu plus au nord.

Les magasins ouvrent généralement de 9h30 à 19h du lundi au vendredi et jusqu'à midi le samedi. Dans le Bairro Alto, ils sont ouverts de 14h à 22h ou minuit. Le dimanche, tout est fermé. Après Noël et en juillet/août, les soldes permettent de faire jusqu'à 70% d'économies.

LES MEILLEURES BOUTIQUES VINTAGE

> Agência 117 (p. 41)
> A Outra Face da Lua (p. 55)
> El Dorado (p. 41)
> Feira da Ladra (p. 69)
> Happy Days (p. 42)

LES MEILLEURES BOUTIQUES DESIGN

> Articula (p. 69)
> Fabrico Infinito (p. 41)
> Loja CCB (p. 82)
> Margarida Pimentel (p. 82)
> Yron (p. 114)

LES MEILLEURS MAGASINS SPÉCIALISÉS

> A Carioca (p. 41)
> Azevedo Rua (p. 55)
> Conserveira de Lisboa (p. 55)
> Luvaria Ulisses (p. 42)
> Napoleão (p. 56)

LES MEILLEURES BOUTIQUES DE MODE

> Ana Salazar (p. 42)
> Fátima Lopes (p. 42)
> Story Tailors (p. 44)
> The Loser Project (p. 44)
> Zed's Dad (p. 44)

En haut à gauche Découvrez les vêtements vintage d'Agência 117

CUISINE

Autrefois, le poulet au *piri-piri* était omniprésent à Lisbonne. Aujourd'hui, grâce à ses chefs inventifs et à ses produits de qualité, la capitale explore d'autres territoires gastronomiques. Les sardines grillées de l'Alfama et les *pastéis de nata* servis dans les vieux cafés sont toujours un délice, mais allez découvrir les nouvelles tentations qu'offrent les restaurants branchés et les bars à sushis.

Pour dîner en plein air, cap sur le Bairro Alto, l'Alfama et la Baixa. Demandez le *menu do dia* pour choisir un plat du jour à petit prix. Les tables portugaises de qualité comprennent la Cervejaria Trindade (p. 45) pour ses bières mousseuses et son ragoût d'écrevisses, O Barrigas (p. 46) pour sa cuisine légère d'inspiration méditerranéenne, et le Pap'Açorda (p. 46) pour son plat homonyme, l'*açorda* (soupe de pain et de coquillages ; voir l'encadré p. 146).

Le Bairro Alto, le Chiado et les Doca de Alcântara permettent de manger de la cuisine du monde entier. Le Tamarind (p. 106) excite les papilles avec ses épices indiennes, et le Nood (p. 46) avec ses spécialités japonaises. Le Café Buenos Aires (p. 58) sert des steaks argentins et le Viagem de Sabores (p. 72) de l'agneau marocain. Sur les quais, l'Estado Líquido (p. 116), attire les branchés qui grignotent des sushis et écoutent de la house en se faisant masser.

Une nouvelle génération de chefs renouvelle la gastronomie portugaise en jouant avec les textures et les saveurs. Voyez par exemple l'Olivier Avenida (p. 104), le Panorama Restaurant (p. 106), en haut du Sheraton, et l'Eleven (p. 103), étoilé au Michelin. Le Bica do Sapato (p. 70), restaurant de John Malkovich, se distingue par son cadre futuriste et sa cuisine inventive.

LA MEILLEURE CUISINE ETHNIQUE

- > Café Buenos Aires (p. 58)
- > Luca (p. 104)
- > Nood (p. 46)
- > Tamarind (p. 106)
- > Viagem de Sabores (p. 72)

LA MEILLEURE CUISINE PORTUGAISE

- > Cervejaria Trinidade (p. 45)
- > O Barrigas (p. 46)
- > O Faz Figura (p. 71)
- > Pap'Açorda (p. 46)
- > Tavares Rico (p. 47)

FADO

Demandez à 10 Lisboètes de vous expliquer le fado et vous aurez 10 versions différentes. Comme nous l'a dit l'un d'eux : "Le fado est inexplicable, c'est tout, c'est la vie à travers le cri d'une voix qui est souvent heureuse aussi." Issu des chants maures et des balades des marins du XVIe siècle souffrant du mal du pays, le fado peut être sombre et puissant comme un espresso ou léger et sucré comme un café au lait. Imprégné de *saudade* (nostalgie), il parle d'amour, de destin, de corrida et de remords.

Cet art musical plonge ses racines dans le dédale d'allées du quartier ouvrier de l'Alfama. La grande Amália Rodrigues (1920-1999) l'a rendu célèbre grâce à ses trilles déchirants, son âme et sa poésie. Revivez cette époque en écoutant des enregistrements grésillants au Museu do Fado (p. 68) et à la Casa de Amália Rodrigues (p. 112).

Aujourd'hui, la nouvelle génération de *fadistas* redéfinit et élargit le genre, lui conservant son essence tout en ajoutant un zeste de blues, de *son* cubain ou de tango argentin. Parmi les grands noms figurent Cristina Branco, Joana Amendoeira (p. 74), Ana Moura et Mariza, nominée aux Grammy latinos. Pour étoffer votre collection, voyez la Discoteca Amália (p. 56).

La nuit, l'Alfama résonne des accords tristes du fado. Les *fadistas* professionnels se produisent au Clube de Fado (p. 73) et à Parreirinha de Alfama (p. 75), mais on peut aussi entendre des concerts de *fado vadio* (fado amateur), notamment à A Baîuca (p. 73) et Mesa de Frades (p. 75) : la qualité varie fortement, mais les spectacles sont toujours sincères et amusants.

LES MEILLEURS DISQUES DE FADO

- *The Art of Amália* (1998), Amália Rodrigues
- *Fado Em Mim* (2002), Mariza
- *Á Flor da Pele* (2006), Joana Amendoeira
- *Existir* (1990), Madredeus
- *Cristina Branco* (2001), Post-Scriptum

LES MEILLEURS CLUBS DE FADO

- Clube de Fado (p. 73)
- Parreirinha de Alfama (p. 75)
- Porta d'Alfama (p. 72)
- Mesa de Frades (p. 75)
- A Baîuca (p. 73)

ARCHITECTURE

Fortifications maures ou gratte-ciel en verre, l'architecture lisboète présente un extraordinaire mélange d'ancien et de nouveau. Victime du séisme de 1755, la ville a cependant échappé aux bombardements qui ont ravagé d'autres capitales européennes durant la Seconde Guerre mondiale.

Commencez le livre de l'histoire lisboète par l'époque romaine, dans les ruines deux fois millénaires du Museu do Teatro Romano (p. 68). Ensuite, faites un saut de mille ans pour rejoindre le Castelo de São Jorge (p. 65), fortifié par les Maures puis assiégé par les croisés en 1147, et l'Alfama (p. 64) aux allures de médina, dont le dédale d'allées étroites résista au séisme grâce à ses fondations ancrées dans la roche.

Dans le chapitre manuélin, Vasco de Gama découvrit l'Inde en 1498, assurant de nouvelles richesses utilisées par Manuel Ier pour financer la créativité de l'architecte Diogo de Boitaca. Le Mosteiro dos Jerónimos (p. 80) et la Torre de Belém (p. 81) foisonnent de motifs organiques, d'entrelacs en pierre, de colonnes en spirale et de voûtes nervurées.

Après le séisme de 1755, le marquis de Pombal redessina Lisbonne avec des lignes tirées au cordeau, des édifices résistants et une esthétique fonctionnelle. Sa vision transparaît dans les rues en damier de la Baixa (p. 52) et des places monumentales telles que la Praça da Figueira (p. 54) et la Praça do Comércio (p. 54).

Et l'histoire n'est pas finie. Le Parque das Nações réhabilité abrite aujourd'hui des bâtiments avant-gardistes en verre et acier, comme la Gare do Oriente (p. 90) de Santiago Calatrava et l' Oceanário (p. 91) de Peter Chermayeff, tandis qu'au bord du fleuve, les entrepôts se transforment en boîtes et restaurants futuristes, tels que le Lux (p. 75) et le Bica do Sapato (p. 70).

LES PLUS BEAUX ÉDIFICES CLASSIQUES

- > Mosteiro dos Jerónimos (p. 80)
- > Castelo de São Jorge (p. 65)
- > Igreja de São Vincente da Fora (p. 65)
- > Cathédrale Sé (p. 69)
- > Aqueduto das Águas Livres (p. 100)

LES PLUS BEAUX BÂTIMENTS D'AVANT-GARDE

- > Gare do Oriente (p. 90)
- > Pavilhão Atlântico (p. 96)
- > Oceanário (p. 91)
- > Bica do Sapato (p. 70)
- > Centro Cultural de Belém (p. 86)

MUSÉES

Si les musées lisboètes ont échappé au feu des projecteurs, c'est parce que la ville préfère rester discrète sur ses charmes. Pourtant, elle accumule depuis des décennies des chef-d'œuvres artistiques et culturels. Brillamment gérés, éclectiques et rarement bondés, ses musées renferment des toiles de Rembrandt ou des carrosses baroques dont même Paris et Londres seraient jaloux.

Le lieu phare est le Museu Calouste Gulbenkian (p. 101), rempli de masques mortuaires égyptiens, de tableaux de Renoir et de bijoux de Lalique. À côté, le Centro de Arte Moderna (p. 100) expose les œuvres contemporaines de Paula Rego ou d'Anthony Gormley. L'incontournable et sublime Museu Nacional de Arte Antiga (p. 113) renferme une riche collection allant de gravures originales de Dürer à de précieux calices. À Belém, le Museu Colecção Berardo (p. 80) permet d'admirer gratuitement des Warhol et des Lichtenstein, tandis que le Museu do Chiado (p. 40) présente des sculptures de Rodin et des expositions avant-gardistes.

Parmi les musées spécifiques à Lisbonne figurent le Museu Nacional dos Coches (p. 81), avec ses carrosses dignes de Cendrillon, le Museu de Marinha (p. 80), dont les bateaux et les boulets de canon rappellent l'âge des Grandes Découvertes, et le Museu do Oriente (p. 113) qui ouvre une fascinante fenêtre sur l'Asie. Le MUDE (p. 54), ou Museu do Design, ouvrira dans la Baixa fin 2009.

LES MEILLEURS MUSÉES CULTURELS

- > Museu do Oriente (p. 113)
- > Museu Nacional do Azulejo (p. 68)
- > Museu de Artes Decorativas (p. 68)
- > Museu Nacional dos Coches (p. 81)
- > Museu de Marinha (p. 80)

LES MEILLEURS MUSÉES D'ART

- > Museu Colecção Berardo (p. 80)
- > Museu Nacional de Arte Antiga (p. 113)
- > Museu Calouste Gulbenkian (p. 101)
- > Centro de Arte Moderna (p. 100)
- > Museu do Chiado (p. 40)

VIE NOCTURNE

Avec sa vie nocturne débridée, son horizon urbain digne de San Francisco et ses discothèques rivalisant avec celles de Berlin, Lisbonne est un must sur le circuit européen de la fête. Dans le Bairro Alto, la tournée des bars démarre après minuit, tandis que sur les docks, les entrepôts se sont transformés en boîtes de nuit. Allez écumer les lieux gays de Príncipe Real, écouter du fado dans l'Alfama, et assister à des concerts survoltés à Cais do Sodré.

Dans le Bairro Alto, animé et sensuel, on danse sur du R'n'B, et tout le monde se retrouve dans la rue pour discuter autour d'un verre de Sagres ou une *caipirinha* à Portas Largas (p. 49), véritable institution du quartier. Plus bas, Santa Catarina compte des bars plus avant-gardistes, comme Bicaense (p. 48), tandis que la Music Box (p. 50) accueille les DJ et les groupes de demain.

Vers 3h, les fêtards commencent à rejoindre les quais. Si vous ne "faites" qu'une discothèque, choisissez le Lux (p. 75), la boîte de John Malkovich où de célèbres DJ balancent de la house et de la musique électronique jusqu'à l'aube. Sur les Doca de Alcântara, on se presse au Kapital (p. 119) pour écouter du garage ou au Kremlin (p. 119) pour entendre de la house. Soignez votre tenue et joignez-vous à un groupe pour franchir le service d'ordre.

Vous préférez les ambiances plus calmes ? Essayez les cocktails de l'élégant Cinco Lounge (p. 48), les portos millésimés du Solar do Vinho do Porto (p. 49) ou le décor kitschissime du Pavilhão Chinês (p. 49). Pour admirer Lisbonne la nuit, choisissez la terrasse du Noobai Café (p. 49).

LES MEILLEURS BARS

- > Noobai Café (p. 49)
- > Bicaense (p. 48)
- > Cinco Lounge (p. 48)
- > Pavilhão Chinês (p. 49)
- > Portas Largas (p. 49)

LES MEILLEURES DISCOTHÈQUES

- > Music Box (p. 50)
- > Frágil (p. 50)
- > Kapital (p. 119)
- > Kremlin (p. 119)
- > Lux (p. 75)

AZULEJOS

Imprégnant la vie quotidienne de leurs couleurs, les *azulejos*, dont le nom vient de l'arabe *az-zulayj* ("pierre polie"), sont partout, dans les stations de métro, les cloîtres, les bars à bière ou les auberges de jeunesse. Les premiers furent importés de Séville par Manuel Ier au XVe siècle.

Le Museu Nacional do Azulejo (p. 68) présente cet art dans l'ordre chronologique, depuis les dessins géométriques jusqu'aux scènes rococo de la Renaissance. On peut voir des *azulejos* de style islamique au Palácio Nacional de Sintra (p. 124), des majoliques en pointe de diamant dans l'Igreja de São Roque (p. 37) et de superbes carreaux bleu et blanc dans l'Igreja de Jesús (p. 123), à Setúbal. Dans l'Igreja de São Vicente da Fora (p. 65), de magnifiques panneaux du XVIIIe siècle dépeignent les *Fables* de La Fontaine.

Promenez-vous en ville en guettant les façades bleu électrique du Bairro Alto, les sobres créations de l'époque de Pombal dans la Baixa et le merveilleux trompe-l'œil de la Casa do Ferreira das Tabuletas (p. 62), dans le Chiado. Buvez une bière sous les *azulejos* de la Cervejaria Trindade (p. 45), puis allez acheter quelques carreaux décoratifs à la Fábrica Sant'Anna (p. 41), ouverte depuis 1741.

Le métro est décoré d'*azulejos* contemporains créés par des artistes comme Maria Keil ou Friedensreich Hundertwasser : créatures animalières à Jardim Zoológico, fruits juteux à Laranjeiras ("Les Orangers"), lapin blanc d'*Alice au pays des merveilles* à Cais do Sodré, carreaux sur le thème de l'âge des Grandes Découvertes à Parque, hiboux et philosophes à Cidade Universitária, et taureaux en train de charger à Campo Pequeno. Les plus beaux *azulejos* se trouvent à la Gare do Oriente (p. 90).

LES AZULEJOS LES PLUS INTEMPORELS

- > Museu Nacional do Azulejo (p. 68)
- > Palácio Nacional de Sintra (p. 124)
- > Igreja de São Vicente da Fora (p. 65)
- > Igreja de São Roque (p. 37)
- > Fábrica Sant'Anna (p. 41)

LES PLUS BEAUX AZULEJOS DU MÉTRO

- > Gare do Oriente
- > Campo Grande
- > Cais do Sodré
- > Cidade Universitária
- > Campo Pequeno

FOOTBALL

Les Lisboètes adorent le *futebol*, ce qui n'est guère surprenant vu la force de leurs deux grandes équipes rivales : le SL Benfica, baptisé *Os Águias* (les Aigles) et le Sporting Clube de Portugal, alias *Os Leões* (les Lions).

Le football portugais se distingue particulièrement sur le plan international. Classé quatrième lors de la Coupe du monde 2006 et arrivé en quart de finale de l'Euro 2008, le Portugal brille par ses performances. Parmi ses meilleurs joueurs figurent Nuno Gomes, du Benfica, Deco, de Chelsea, mais surtout Cristiano Ronaldo : éblouissant de vitesse, d'agilité et d'astuce, *Abelhina* (la petite abeille), comme on le surnommait au Sporting, est parti bourdonner à Manchester United en 2003.

Les stades de Lisbonne ont bénéficié d'une rénovation de plusieurs millions d'euros pour l'Euro 2004 et l'ambiance lors des matchs est sensationnelle. Le SL Benfica joue à l'Estádio da Luz (p. 108), où un aigle survole le stade avant de se poser sur l'emblème de l'équipe avant chaque match. Pas moins impressionnant, l'ultramoderne Estádio José Alvalade accueille le Sporting Clube de Portugal (p. 109). Il vaut la peine d'aller voir Os Belenenses à l'Estádio do Restelo (p. 86), à Belém, ne serait-ce que pour la vue sur le fleuve depuis la tribune ouest.

La saison va de septembre à mi-juin et la plupart des matchs se déroulent le dimanche. Les billets (20-55 €) s'achètent au stade le jour même. Pour connaître le programme et les scores, voyez le www.afutebollisboa.org et le www.abola.pt (en portugais), ou, si vous parlez anglais, le www.portuguesesoccer.com et le www.portugoal.net.

PARCS ET JARDINS

Lisbonne est plus verte qu'on pourrait le penser, mais au lieu des parcs classiques, on trouve plutôt des oasis plantées de palmiers, des *praças* (places) où les fontaines gargouillent, de verdoyants *miradouros* (belvédères) et des jardins botaniques tropicaux. Partout, le passé colonial du Portugal revit dans les palmiers omniprésents, les banians et les fleurs pourpres des jacarandas.

Quand la température monte, allez arpenter le très britannique Parque Eduardo VII (p. 102), avec ses haies bien taillées et sa vue sur l'horizon urbain, ou encore le Jardim da Estrela (p. 112), ponctué de saules, de châtaigniers et de bassins. Au bord du fleuve, dans le Parque das Nações, le Jardim Garcia de Orta (p. 90) abrite des espèces comme le kapokier du Brésil ou le dragonnier des Canaries, tandis le Caminho da Água (p. 90) offre une promenade rafraîchissante. Les places réservent aussi des surprises, que ce soit la Praça do Príncipe Real et ses cèdres ou la luxuriante Praça da Alegria (p. 40).

Si vous aimez la botanique, allez voir le Jardim do Ultramar (p. 80), à Belém, avec ses bambous et ses palmiers, flânez parmi les fougères, les cactus et les grottes des *estufas* (serres ; p. 100), ou explorez le Jardim Botânico da Ajuda (p. 82) du XVIIIe siècle, ses parterres symétriques et ses serres regorgeant d'orchidées. Le petit bijou sylvestre qu'est Sintra (p. 124) offre de vastes forêts de pins parsemées de gros rochers.

LES MEILLEURS POINTS DE VUE ARBORÉS

> Miradouro de São Pedro de Alcântara (p. 40)
> Miradouro de Santa Catarina (p. 40)
> Miradouro de Santa Luzia (p. 65)
> Parque Eduardo VII (p. 102)
> Quinta da Regaleira (p. 124)

LES MEILLEURES ESCAPADES BOTANIQUES

> Jardim da Estrela (p. 112)
> Jardim do Ultramar (p. 80)
> Jardim Botânico da Ajuda (p. 82)
> Estufas (p. 100)
> Jardim Botânico (p. 100)

CORRIDA

Rien à Lisbonne ne suscite plus de controverse que la *tauromaquia* (tauromachie). En 2006, le Campo Pequeno (p. 108), une arène néomauresque de 9 000 places, a rouvert après six ans, provoquant la joie des uns et la colère des autres. Les jeudis soirs, de Pâques à octobre, la place fourmille de spectateurs excités et de manifestants vociférants. Mais qu'on l'aime ou qu'on la déteste, la tauromachie reste pour l'instant incontournable.

La *tourada* (corrida) comprend trois parties. D'abord arrive le *cavaleiro* (cavalier), vêtu d'atours du XVIIIe siècle et d'un tricorne à plumes, qui parade sur un étalon lusitanien sous les applaudissements, au son d'une fanfare tonitruante. Soudain, on entend un bruit métallique, et le *touro* (taureau) surgit. Avec la grâce d'une ballerine et la force d'un jockey, le *cavaleiro* virevolte à quelques centimètres de lui en le piquant avec des *bandarilhas* (banderilles), tandis que retentissent des hourras et que la fanfare se déchaîne. Entrent ensuite les *bandarilheiros* (hommes à pied) qui provoquent l'animal avec une cape. Enfin, c'est le tour des *forcados,* huit casse-cou qui l'attrapent par les cornes lors de la *pega* (prise) et le sortent de l'arène alors que le public fait pleuvoir sur le *cavaleiro* des bouquets de fleurs.

Qu'on soit pour ou contre, la corrida est une institution nationale et un spectacle encore très populaire. On la décrit souvent comme moins sanglante que dans d'autres pays, car une loi portugaise interdit la mise à mort du taureau devant le public (il est abattu plus tard, hors de vue des spectateurs). Cependant, pour beaucoup de défenseurs des animaux, elle est barbare, immorale, *não é arte nem cultura* (ni art ni culture), et elle suscite l'opposition d'associations telles que la SPA portugaise (www.lpda.pt) ou Animal (www.animal.org.pt) ; cette dernière organise d'ailleurs des manifestations hebdomadaires

AVEC DES ENFANTS

Des trajets brinquebalants dans les trams jaunes aux *pipocas* (popcorn) couleur vive, Lisbonne a de quoi enflammer l'imagination des enfants. Ici, les bambins ne sont pas oubliés : demi-tarifs dans les sites, demi-portions (*uma meia dose*) dans les bistros et transports gratuits pour les moins de cinq ans. Beaucoup d'hôtels logent les tout-petits dans votre chambre sans supplément. Si les pavés sont peu praticables avec une poussette, les funiculaires permettent de se déplacer facilement.

Le Parque das Nações (p. 88) figure en tête de liste des sorties : après un tour à l'Oceanário (p. 91) pour voir les requins, emmenez vos physiciens en herbe lancer des fusées et marcher sur la Lune au Pavilhão do Conhecimento (p. 91), puis se rafraîchir dans les jeux d'eau du Jardins d'Água (p. 90). À l'ouest, le Museu de Marinha (p. 80), à Belém, donne l'occasion de découvrir toutes sortes de bateaux.

Dans le centre-ville, le Castelo de São Jorge (p. 65) reste une valeur sûre, de même que le Museu da Marioneta (p. 112). Même les adolescents blasés retrouveront leur enthousiasme en faisant les boutiques du Bairro Alto, comme Sneakers Delight (p. 44) et Agência 117 (p. 41).

Trop chaud à Lisbonne ? Allez faire une croisière d'observation des dauphins à Setúbal (p. 123), profiter de la plage à Cascais (p. 126) ou découvrir des jardins et des palais de conte de fées à Sintra (p. 124).

LES MEILLEURES DISTRACTIONS

> Oceanário (p. 91)
> Pavilhão do Conhecimento (p. 91)
> Museu da Marioneta (p. 112)
> Museu de Marinha (p. 80)
> Observation des dauphins à Setúbal (p. 123)

LES MEILLEURS SITES EN PLEIN AIR

> Jardins d'Água (p. 90)
> Parque Eduardo VII (p. 102)
> Jardim da Estrela (p. 112)
> Praça do Príncipe Real (p. 40)
> Jardim do Ultramar (p. 80)

COMMUNAUTÉ GAY

Sa tolérance accrue a doté Lisbonne d'une scène gay florissante. En 2004, le Portugal a été l'un des premiers pays d'Europe à interdire la discrimination contre les gays, et les couples homosexuels possèdent aujourd'hui les mêmes droits que les hétéros.

Le principal quartier gay est centré sur la Praça do Príncipe Real (carte p. 38-9), avec des bars tranquilles comme le Bar Água No Bico (p. 51) et le Bar 106 (p. 51), et des lieux de drague comme le Trumps (p. 51) ou le Memorial (p. 51), une institution lesbienne. La place elle-même est propice aux rencontres.

Le Chiado et le Bairro Alto renferment aussi des bars, restaurants et boutiques accueillant tant les homosexuels que les hétéros. Prenez un café à Mar Adentro (p. 46) ou dînez à Pap'Açorda (p. 46). Le soir, gays et hétéros boivent des *caipirinhas* à Portas Largas (p. 49) et écoutent de la house au Frágil (p. 50), avant de se rendre sur les quais pour danser au Kremlin (p. 119) ou au Lux (p. 75). Le Bairro Alto compte un hôtel gay, l'Anjo Azul (p. 158).

Vous pouvez faire coïncider votre séjour avec la Lisbon Pride (p. 25) en juin ou le Festival de Cinema Gay e Lésbico (p. 26) en septembre. Pour en savoir plus sur les sorties, consultez le www.portugalgay.pt, le www.ilga-portugal.pt ou le http://timeout.sapo.pt (en portugais).

LES MEILLEURES DISCOTHÈQUES

> Frágil (p. 50)
> Lux (p. 75)
> Trumps (p. 51)
> Kremlin (p. 119)
> Kapital (p. 119)

LES MEILLEURS BARS

> Bar Água No Bico (p. 51)
> Bric-a-Bar (p. 51)
> Bar 106 (p. 51)
> Portas Largas (p. 49)

>HIER ET AUJOURD'HUI

L'exubérante Torre de Belém (p. 81), dessinée en 1515 par Francisco de Arruda

HIER ET AUJOURD'HUI

HISTOIRE

Des richesses impériales, des incendies, la peste, un séisme dévastateur, des révolutions, des coups d'État et une dictature : l'histoire de Lisbonne possède tous les ingrédients d'un thriller hollywoodien. Et pour en explorer les coulisses, il suffit d'arpenter les pavés mauresques de l'Alfama (p. 64), d'explorer la Baixa (p. 52) remodelée par le marquis de Pombal au XVIIIe siècle, ou de revivre l'âge des Grandes Découvertes à Belém (p. 78). L'aventure vous attend…

RACINES ROMAINES ET BÂTISSEURS MAURES

Les Phéniciens furent les premiers à s'installer ici il y a 3 000 ans, mais c'est avec l'arrivée des Romains, en 205 av. J.-C., que Lisbonne, ou Olissippo, prit réellement son essor. Devenu capitale occidentale de l'Empire romain en 60 av. J.-C. sous Jules César, le *municipium* (ville municipale) prospéra grâce à ses conserveries de poissons. Les vestiges d'un théâtre, au Museu do Teatro Romano (p. 68), sont le rappel de cette période.

Après quelques conflits tribaux, la ville fut conquise par des guerriers maures venus d'Afrique du Nord en 714. Ils fortifièrent la cité, rebaptisée Lissabona, bâtirent le puissant Castelo de São Jorge (p. 65) et parvinrent pendant 400 ans à repousser les chrétiens. Sous leur règne, Lisbonne devint une ville marchande florissante, empreinte de tolérance religieuse : les juifs et les chrétiens étaient libres de pratiquer leur religion, tant qu'ils s'acquittaient de l'impôt. L'Alfama (p. 64) donne un aperçu de Lisbonne à cette époque.

En 1147, après un siège de quatre mois, les chrétiens (en majorité des croisés britanniques, pilleurs sans vergogne), commandés par le roi Alphonse Henriques, réussirent à reprendre la ville. Pour montrer leur pouvoir, ils érigèrent la cathédrale Sé (p. 69) sur les ruines de la principale mosquée en 1150. En 1255, Alphonse III déplaça sa capitale de Coimbra à Lisbonne, dont le port et la position centrale en faisaient un emplacement idéal.

L'ÂGE DES EMPIRES

L'âge des Grandes Découvertes débuta au XVe siècle lorsque des explorateurs désireux de briser le monopole de Venise sur le commerce avec l'Asie prirent la mer à bord de puissantes caravelles. L'un des premiers initiateurs fut le prince Henri le Navigateur, dont les hommes découvrirent Madère (1418) et les Açores (1427), et qui accosta en personne sur les rivages d'Afrique de l'Ouest. Vasco de Gama (p. 81) découvrit la route des Indes en 1497 et, en 1500, Pedro Álvares Cabral atteignit le Brésil.

Le XVIe siècle fut l'âge d'or du Portugal. La colonisation et le commerce du sucre, des épices et de l'or – et celui, moins reluisant, des esclaves – se révélèrent hautement lucratifs. Le roi Manuel Ier (r 1495-1521) fit étalage de ses nouvelles richesses dans des édifices manuélins exubérants, comme le Mosteiro dos Jerónimos (p. 80). L'appétit des Portugais était insatiable et, en 1571, le pays étendait sa domination sur une grande partie du monde, avec des comptoirs dans des lieux aussi éloignés que Nagasaki, au Japon.

Mais ce monopole dura peu, et le Portugal fut rapidement confronté à la rivalité de la Grande-Bretagne, de la France, de l'Espagne et de la Hollande. Le pays bascula sous la férule de l'Espagne en 1580 et ne retrouva son indépendance qu'en 1668, lorsque le traité de paix de Lisbonne mis fin à 29 ans de lutte sanglante. Entre-temps, l'empire portugais s'était affaibli et la perte du Brésil, en 1822, lui porta un coup très dur. Au XXe siècle, le dictateur Salazar (1889-1970) allait s'efforcer en vain de conserver ses territoires : Macao, la dernière colonie portugaise, sera rendue à la Chine en 1999.

PERSONNAGES INFLUENTS

À 9h30, le 1er novembre 1755, jour de la Toussaint, un séisme de 9,0 sur l'échelle de Richter frappa Lisbonne. Un incendie encore plus dévastateur suivit, ainsi qu'un raz-de-marée dont les effets se firent sentir jusqu'à Agadir. Au moins 90 000 des 270 000 habitants trouvèrent la mort et une bonne partie de la ville fut détruite. Le puissant marquis de Pombal, Premier ministre du roi Joseph Ier, entama rapidement la reconstruction de la ville et entreprit une véritable révolution urbanistique. Il redessina Lisbonne, et ses rues en damier et ses bâtiments fonctionnels, résistants aux séismes, témoignent d'une grande sophistication technique ; la Baixa (p. 52) en est le meilleur exemple.

Le Portugal, lié aux Britanniques, fut envahi par la France en 1807. La famille royale s'exila au Brésil, laissant la protection de ses routes commerciales à la Grande-Bretagne. Entre 1807 et 1811, la ville, occupée par les forces napoléoniennes, sombra dans le chaos et le pillage. Au milieu du XIXe siècle, le pays se redressa sous le règne (1826-1853) de Marie II de Bragance, dont la passion pour les beaux palais se manifesta notamment à Sintra, avec le singulier et magnifique Palácio Nacional da Pena (p. 124) édifié en 1840. Lisbonne était alors en pleine croissance et, en 1879, la grandiose Avenida da Liberdade (carte p. 99) permit d'étendre la ville vers le nord. Le tramway commença à fonctionner au tournant du XXe siècle.

LE POUVOIR DES FLEURS

Le 25 avril 1974 marqua un tournant dans l'histoire de Lisbonne, quand un coup d'État mené par des militaires renversa le régime de Salazar presque sans effusion de sang. Convaincus de ne pas utiliser la force par une population qui agitait des œillets, les soldats placèrent un œillet rouge, symbole d'amour et d'affection, au bout de leurs fusils, d'où le nom de "révolution des œillets" *(Revolução dos Cravos)*. L'ancien pont Salazar fut rebaptisé Ponte 25 de Abril (p. 114). Le Portugal s'était enfin affranchi de la dictature, ouvrant la voie à la démocratie. La révolution est commémorée le 25 avril, Jour de la Liberté *(Dia da Liberdade)*.

LA CHUTE DE LA MONARCHIE ET LA MONTÉE DE SALAZAR

L'avènement du XXe siècle fut synonyme de turbulences. En 1908, le roi Charles Ier et son fils aîné furent assassinés sur la Praça do Comércio, puis, le 5 octobre 1910, une révolution conduisit à l'abdication de Manuel II et à l'établissement de la Ire République. En 1926, l'instabilité politique et l'inflation provoquèrent un putsch qui marqua le début de la dictature portugaise en portant au pouvoir le général Antonio de Fragoso Carmona.

António de Oliveira Salazar lui succéda comme Premier ministre de l'Estado Novo (Nouvel État) en 1932. Fervent catholique, Salazar institua un régime autoritaire de droite et soutint les nationalistes de Franco durant la guerre civile espagnole en 1936. Sa police secrète, la Policia Internacional e de Defesa do Estado (PIDE), élimina les communistes et les opposants. Pendant la Seconde Guerre mondiale, Salazar, bien qu'officiellement neutre, toléra la présence d'espions à Lisbonne et autorisa les Alliés à utiliser ses bases aériennes dans les Açores.

Le principal souci du dictateur était la stabilité monétaire, à laquelle il parvint en dirigeant ses colonies d'une main de fer. Dans les années 1960, il fit mater ses territoires africains par l'infanterie et la milice, choquant l'opinion mondiale. Victime d'une attaque en 1968, il mourut en 1970. Marcelo Caetano lui succéda, mais le régime fut renversé en 1974 et la démocratie rétablie. En 1974 et 1975, l'afflux massif de réfugiés venant des anciennes colonies africaines modifia la démographie de Lisbonne et lui insuffla une nouvelle richesse culturelle, à défaut d'être financière.

VIVRE À LISBONNE

Qui sont les Lisboètes ? Les clichés les dépeignent comme des catholiques conservateurs qui mangent des sardines, se complaisent dans la *saudade*, pleurent la perte de leurs colonies et ne jurent que par les trois F : fado, football et Fátima. Malgré les énormes progrès réalisés depuis la chute de Salazar et l'entrée dans l'UE, Lisbonne souffrait jusque récemment d'un problème d'image. Comparée à l'Espagne flamboyante et extravertie, elle paraissait terne, timide et sans charme.

Ce n'est plus le cas. La régénération urbaine, le multiculturalisme et une vague de créativité nouvelle ont redonné le sourire aux Lisboètes. S'ils sont par nature plus réservés que les Espagnols, leurs *festas* sont déchaînées et ils consacrent plus souvent leurs dimanches matins à soigner les effets d'un trop-plein de *caipirinhas* qu'à aller à l'église. Les bâtiments historiques sont rénovés, les bars et restaurants branchés poussent comme des champignons, la qualité de la vie s'améliore, le tourisme explose. En moins de dix ans, Lisbonne a connu une transformation spectaculaire.

Ici, la vie s'écoule à un rythme détendu, presque lent, surtout dans des quartiers traditionnels comme l'Alfama et Belém. Vous aurez presque toujours une place dans le métro, les gens se pressent rarement et la plupart des restaurants vous accueilleront même à la dernière minute. Est-ce la brise de l'Atlantique, la lumière qui se reflète sur le Tage, le fait de pouvoir manger en plein air, ou simplement le climat, parmi les plus doux d'Europe (3 300 heures d'ensoleillement par an) ? Lisbonne semble génétiquement programmée pour vivre à un rythme plus tranquille que les autres capitales européennes.

La ville ne se limite pas pour autant à une juxtaposition de quartiers désuets aux teintes pastel. Si les Lisboètes semblent se mouvoir au ralenti

LES BONNES MANIÈRES

- Dites *bom dia* (bonjour) ou *boa tarde* (bon après-midi) en entrant dans les magasins et les cafés.
- Faites l'éloge de la cuisine, de la culture et du patrimoine lisboètes.
- Brisez la glace en mentionnant les noms de célèbres footballeurs portugais, comme Cristiano Ronaldo.
- Adressez-vous aux gens d'un certain âge en leur disant *Senhor* (M.) ou *Senhora* (Mme).
- Essayez de parler portugais, ne serait-ce que quelques mots – ce sera très apprécié.
- Abstenez-vous de parler ou de bouger pendant un concert de fado.
- Ne trichez pas dans les files d'attente.
- Ne supposez pas d'office que les Lisboètes parlent espagnol. Pour le savoir, dites *fala espanhol ?*
- Ne traversez pas en dehors des clous, sous peine de vous faire klaxonner et injurier.
- Ne prenez pas les heures d'ouverture à la lettre. Elles ne sont pas toujours respectées.

DÉFENSE DE FUMER

Depuis le 1er janvier 2008, il est interdit de fumer dans les bâtiments publics, les bureaux, les théâtres et les musées portugais. Mais, comme bien souvent, les règles sont plus souples à Lisbonne que dans les autres capitales européennes. S'ils installent un système de ventilation adéquat, les bars, clubs et restaurants de moins 100 m² peuvent échapper à l'interdiction. Détail étonnant : António Nunes, chef de l'Agence portugaise de sécurité alimentaire et initiateur de la nouvelle législation antitabac, a été surpris en train d'allumer (illégalement) une cigarette dans un casino le Jour de l'an...

le jour, c'est qu'ils conservent leur énergie pour la *noite* (nuit). Hédonistes, décadents, on peut les qualifier comme on veut mais les jeunes Lisboètes adorent faire la fête et profiter de la vie, que ce soit en trinquant dans les rues du Bairro Alto ou en allant danser au Lux à 4h du matin. Ici, les gens sont ouverts et tolérants et vous vous ferez des amis rapidement, surtout si vous *falas um pouco de português* (parlez un peu portugais).

Conservatrice, Lisbonne ? Peut-être, mais grattez la surface et vous trouverez une société égalitaire et presque dénuée de machisme. Les Lisboètes peuvent jeûner à l'occasion d'une fête religieuse et participer le mois suivant à la Gay Pride avec la même ferveur. Loin d'être obsédés par le statut social et l'argent, ils aiment, selon les mots de l'un d'eux "les plaisirs simples et constants", sont généralement contents de leur sort et apprécient autant un bar à tapas qu'un restaurant cité au Michelin.

Les jeunes sont souvent cultivés, créatifs, et formés aux nouvelles technologies, mais ils font aussi preuve d'une grande authenticité et d'une réelle curiosité envers les langues et les pays étrangers. Fatiguée de jouer les seconds violons auprès des autres capitales européennes, Lisbonne est en train de composer sa propre symphonie du XXIe siècle : un mélange de mélancolie passée et de brillance future, deux mondes qui, ici, coexistent avec bonheur. Réservez-lui une ovation.

ENVIRONNEMENT

Si "bio" n'est pas encore un maître mot, Lisbonne est en train de vivre sa propre révolution verte. La ville s'est ouverte au recyclage en installant des poubelles publiques pour le tri sélectif, et elle commence à découvrir l'intérêt des transports écologiques. Promenez-vous dans la Baixa et vous verrez des policiers passer sur leurs Segway, sortes de trottinettes électriques. De petits pas, certes, mais qui vont dans la bonne direction.

SE METTRE AU VERT...

C'est ce qu'on pourra bientôt faire à Mata de Sesimbra, un projet de complexe écotouristique à 30 km au sud de Lisbonne. Dans le cadre de l'initiative One Planet Living, lancée par le WWF (www.panda.org) et BioRegional (www.bioregional.com), ce site sans déchets et sans émission de carbone changera la physionomie d'une région minée par la déforestation et l'érosion côtière. Une fois achevé, vers 2014, pour un coût d'un milliard de dollars, il accueillera 30 000 personnes et offrira un parfait exemple de développement durable : maisons, magasins, bureaux et équipements de loisirs fonctionnant à l'énergie renouvelable, véhicules hybrides pour éliminer les émissions de carbone, production sur place de 50 % de la nourriture consommée afin de développer l'agriculture et la pêche, recyclage des eaux usées pour réduire la consommation de précieuses ressources. Il s'agira également du premier projet européen de réhabilitation de la nature, avec 4 800 hectares sur 5 300 consacrés à la remise en état des zones humides, l'amélioration de la biodiversité et le reboisement des forêts de pins et de chênes.

Ce qui vous frappera le plus à votre arrivée, c'est le ciel pur, d'un bleu éclatant. La raison en est simple. Efficaces et d'un prix abordable, les transports publics ont permis de réduire les embouteillages et les émissions de carbone ; les tramways sont amusants, les bus fréquents, le métro rapide, alors pourquoi prendre sa voiture ? En outre, vu leur topographie, certains quartiers ne sont praticables qu'à pied – comme les escaliers de l'Alfama et de la Graça ou les rues piétonnes de la Baixa –, ce qui permet de garder la forme en préservant l'environnement. Depuis peu, la station balnéaire de Cascais (p. 126) s'est prise au jeu en établissant un système de prêt de vélos.

Par ailleurs, le paysage urbain de Lisbonne se modifie. En témoigne le Parque das Nações (p. 88), dont le visage a été transformé en moins de dix ans : les usines polluantes et les raffineries de pétrole ont disparu au profit de saisissants édifices en verre et acier à haut rendement énergétique. Même chose pour la réhabilitation des Doca de Alcântara (p. 110), dont les entrepôts retrouvent une vie nouvelle sous la forme de bars et de restaurants branchés. Tout cela dans l'objectif de rendre Lisbonne plus propre et plus verte.

LISBONNE ETHNIQUE

Lisbonne, vous diront fièrement ses habitants, est une ville multiculturelle : on y trouve des footballeurs mozambicains, des restaurants servant de la cuisine de Goa et des *rodas de choro* (jam-sessions brésiliennes).

En effet, l'agglomération lisboète abrite environ 120 000 personnes d'origine asiatique, africaine et brésilienne, dont la culture imprègne la vie quotidienne, tant la cuisine et la musique que la télévision et l'argot des rues. Beaucoup de *retornados* (rapatriés) en provenance de pays comme le Cap-Vert, le Mozambique, la Guinée-Bissau et l'Angola sont arrivés à Lisbonne après la révolution de 1974, exerçant une énorme pression sur l'économie fragile du Portugal.

Pourtant, quand on demande aux Lisboètes où vivent la plupart de ces gens, beaucoup répondent avec un regret sincère : "dans les ghettos". Il existe une Lisbonne dont les brochures touristiques ne parlent pas : Cova da Moura, Fontainhas, Anjos, Amadora, Buraca, ces banlieues qu'on aperçoit depuis la fenêtre du train pour Sintra, sont caractérisées par des taudis exigus, la drogue, la violence et un taux élevé de grossesses des adolescentes. Ici, les jeunes n'ont aucune perspective d'avenir et souffrent d'une image stéréotypée, exacerbée par les gros titres des tabloïds qui les pointent du doigt et vilipendent les *clandestinos* (immigrants clandestins).

Les services sociaux tentent de répondre à ces problèmes, mais il reste beaucoup à faire. Rares sont les Lisboètes qui osent s'aventurer dans ces quartiers déshérités où le tissu social s'est désagrégé. Des films comme *Ossos* (ci-contre), de Pedro Costa, offrent un excellent aperçu d'une facette de Lisbonne souvent ignorée et oubliée.

À LIRE

Histoire du siège de Lisbonne (José Saramago, Points, 1999). Dans ce roman imaginatif et ingénieux de Saramago, Prix Nobel de littérature, un correcteur réécrit l'histoire du siège de Lisbonne en 1147 en insérant une négation dans une phrase.

Train de nuit pour Lisbonne (Pascal Mercier, 10-18, 2008). Ce récit onirique raconte le voyage introspectif d'un professeur suisse à Lisbonne dans les années 1930.

Les Lusiades (Luís Vaz de Camões, Robert Laffont, 1998). Ce poème épique retrace le voyage de Vasco da Gama vers les Indes en 1497 et incarne l'esprit de l'âge des Grandes Découvertes.

Le Retour des caravelles (António Lobo Antunes, Points, 2003). Ce roman joue sur la dislocation surréaliste du temps, et permet à des navigateurs du XVe siècle de rencontrer des soldats des années 1970 et des Lisboètes d'aujourd'hui.

Un hiver à Lisbonne (Antonio Muñoz Molina, Actes Sud, 1999). Le portrait touchant d'un pianiste américain de jazz qui trouve le rythme et l'amour à Lisbonne.

La Danse des espions (Robert Wilson, Pocket, 2005). Un thriller prenant et bien écrit qui se déroule à Lisbonne pendant la guerre, dans le milieu des espions.

Poèmes païens (Fernando Pessoa, Points, 2007). Cet ouvrage regroupe les poèmes païens que Fernando Pessoa a écrit sous les pseudonymes d'A. Caeiro, le maître, et de son disciple R. Reis.

UN POÈTE NATIONAL

"Sage est celui qui se contente du spectacle du monde", écrivait l'illustre poète lisboète du XIXe siècle Fernando Pessoa (1888-1935). A la mort de son père, emporté par la tuberculose, le jeune Fernando partit pour l'Afrique du Sud où il fut éduqué en anglais et dévora Dickens et Shakespeare. À son retour, il se mit à écrire pour des magazines d'avant-garde, tels que *Orpheu*, des poèmes parlant de *saudosismo* (esthétisme nostalgique), d'ennui, de patriotisme mystique et de dégoût général de la vie. Le poème ésotérique *Mensagem* (*Message*, 1934) fut la seule œuvre complète publiée de son vivant. Aujourd'hui, son visage orne des objets-souvenirs, comme des sets de table et des tee-shirts. Pour le découvrir réellement, achetez un recueil de ses poèmes et asseyez-vous près de sa statue en bronze, sur la terrasse de A Brasileira (p. 47).

Ciel en feu (Mário de Sá-Carneiro, la Différence, 1990). Une collection de nouvelles originales, déroutantes et surréalistes écrites par Sá-Carneiro, ami de Fernando Pessoa.
Voyages dans mon pays (Almeida Garrett, Éditions UNESCO, 1997). Mélange de réalité et de fiction, ce livre raconte le voyage effectué par Garrett de Lisbonne à Santarém et le dilemme d'un homme déchiré entre deux femmes.

FILMS

Lisbon Story (*Viagem a Lisboa* ; Wim Wenders, 1994). Inventif et magnifiquement filmé, ce drame allemand suit un réalisateur, Monroe, dans sa quête pour achever un film muet à Lisbonne. On y voit le groupe portugais Madredeus, et Manoel de Oliveira y fait une apparition.
Voyage au début du monde (*Viagem ao Princípio do Mundo* ; Manoel de Oliveira, 1997). Cet émouvant road-movie décrit la redécouverte de l'enfance dans le Portugal rural.
La lettre (*A Carta* ; Manoel de Oliveira,1999). La passion, l'amour futile, l'adultère, la tragédie, la piété : un grand classique d'Oliveira, récompensé par le prix du Jury au Festival de Cannes en 1999.
Ossos (Pedro Costa,1997). Ce récit prenant et sombre, sur la vie dans les taudis de la banlieue de Lisbonne, traite de pauvreté, de suicide et de la lutte entre l'amour et la mort.
Les mutants (*Os Mutantes* ; Teresa Villaverde, 1999). Nominé pour quatre Golden Globes, ce drame a suscité une controverse nationale. Quatre adolescents rejetés par le système, basculent dans la délinquance et la pornographie.
Un film parlé (*Um Filme Falado* ; Manoel de Oliveira, 2004). Provocateur pour certains, sans intérêt pour d'autres, ce film raconte la croisière en Méditerranée d'une mère et de sa fille, avec John Malkovich dans le rôle du capitaine.
El Invierno en Lisboa (Jose Antonio Zorrilla,1992). Un film policier dont le héros est un pianiste américain de jazz qui part à Lisbonne et se lie d'amitié avec un artiste. On y voit le célèbre trompettiste Dizzy Gillespie.

INFATIGABLE OLIVEIRA

Apparemment, rien ne peut empêcher le cinéaste centenaire Manoel de Oliveira de défier les lois de la longévité. Né à Porto en 1908 et souvent cité comme le réalisateur en activité le plus âgé du monde, l'illustre metteur en scène a entamé sa prolifique carrière à l'époque du cinéma muet. Depuis, il a tourné une cinquantaine de films, documentaires et courts métrages, atteignant une dimension épique dans *Voyage au début du monde* et *La Lettre*. Obscures ou introspectives, ses œuvres explorent des thèmes allant de dilemmes moraux à la redécouverte de l'enfance. En 2008, Cannes et la Brooklyn Academy of Music ont rendu hommage à un homme dont la production créative n'a fait que croître avec l'âge. Un homme qui a toujours été une sorte de franc-tireur.

Dans la chambre de Vanda (*No Quarto da Vanda* ; Pedro Costa, 2000). Ce docu-fiction primé suit la vie des toxicomanes capverdiens de Fontainhas, une banlieue misérable de Lisbonne.
Christophe Colomb, l'énigme (*Cristóvão Colombo* ; Manoel de Oliveira, 2007). Italien, Christophe Colomb ? Pas forcément. Dans ce film mélancolique qui réécrit l'histoire, un chercheur entreprend de prouver qu'il était peut-être portugais.

HÉBERGEMENT

Côté hébergement, Lisbonne s'éveille enfin au tourisme. Aujourd'hui, on peut dormir dans des palais du XVIIIe siècle avec vue sur le château, des pensions à l'ancienne ou de luxueux hôtels design offrant spas et bars à cocktails.

Les hôtels design, comme le **Bairro Alto Hotel** (www.bairroaltohotel.com) dans le centre, révèlent un grand souci du détail dans ses chambres à la décoration individuelle et son salon-bar dominant la ville.

Le Rossio et le Bairro Alto comptent d'accueillantes *pensões* (pensions). Notre préférée est la charmante **Pensão Londres** (www.pensaolondres.com.pt) de style Art nouveau. Les ruelles calmes de l'Alfama et du Castelo cachent de petites pensions et des palais aménagés en hôtels avec vue sur le château et le fleuve. Le **Palácio Belmonte** (www.palaciobelmonte.com), un palais restauré du XVe siècle proche du Castelo de São Jorge, vous réservera un accueil royal.

Sereine et verdoyante, Lapa se prête à une escale romantique grâce à ses hôtels de charme installés dans des couvents et des palais reconvertis, dont les cours couvertes de lierre résonnent du chant des oiseaux et du murmure des fontaines. Essayez la **York House** (www.yorkhouselisboa.com), un couvent du XVIIe siècle modernisé, **As Janelas Verdes** (www.heritage.pt), un ancien palais du XVIIIe siècle, et le joli **Lapa Palace** (www.lapapalace.com) dans son écrin de verdure.

Le style est aussi au rendez-vous aux alentours de l'Avenida da Liberdade et de la Praça da Figueira, où la grisaille des immeubles de bureaux s'est effacée devant le charme de l'Art déco. Tout près des boutiques de couturiers et des restaurants, on trouve ainsi l'**Hotel Britânia** (www.heritage.pt), joyau moderniste de Cassiano Branco, et l'apart'hôtel **VIP Eden** (www.viphotels.com), doté d'une spectaculaire piscine sur le toit.

Pensez à réserver entre juin et mi-septembre, car les hébergements affichent vite complet. Comptez 20 € pour un lit en dortoir, 40 € pour une double basique avec sdb commune et 80 € pour les *pensões*, avec TV, clim. et petit-déjeuner. Dans les hôtels, les doubles commencent à 80 € et peuvent aller jusqu'à 400 €. Des réductions sont possibles en basse saison et pour les séjours de plus d'une semaine. Pour trouver un appartement indépendant (50-150 € la nuit), consultez le www.lisbon-apartments.com ou le www.waytostay.com.

CATÉGORIE LUXE

BAIRRO ALTO HOTEL

☎ 213 408 288 ; www.bairroaltohotel.com ; Praça Luís de Camões 8, Bairro Alto ; M Baixa-Chiado ;

Cet hôtel intime et accueillant, au cœur du Bairro Alto (face à la Praça Luís de Camões) mêle l'élégance du XIXe siècle à une restauration branchée, pour un résultat fantastique. Il ne compte que 55 chambres et propose un service personnalisé exceptionnel. Belle vue de la terrasse du toit.

LAPA PALACE HOTEL

☎ 213 949 494 ; www.lapapalace.com ; Rua do Pau de Bandeira 4, Lapa ; 28 ; 27 ;

Cet élégant manoir du XIXe siècle perché sur une colline offre une multitude de chambres dotées d'une vue époustouflante sur le Tage. Si vous aimez l'ancien, optez pour une chambre dans l'aile du palais. Piscine extérieure et Jacuzzi.

PALÁCIO BELMONTE

☎ 218 816 600 ; www.palaciobelmonte.com ; Páteo Dom Fradique 14, Alfama ; 28 ;

Signalé par une simple petite plaque, ce discret joyau proche du Castelo de São Jorge est l'hôtel le plus séduisant de Lisbonne. Véritable *palácio* (palais) magnifiquement restauré, il compte une dizaine de chambres, toutes différentes. La vue et une élégante piscine contribuent au charme inimitable des lieux.

CATÉGORIE SUPÉRIEURE

AS JANELAS VERDES

☎ 213 968 143 ; www.heritage.pt ; Rua das Janelas Verdes 47, Lapa ; 27 ;

Outre de jolies chambres, dont certaines avec balcon,vous trouverez une cour et une bibliothèque avec terrasse dans ce palais du XVIIIe siècle dont le romancier Eça de Queirós s'est inspiré pour son roman *Les Maia* (*Os Maias*). Une adresse aussi belle qu'accueillante.

HÔTEL BRITÂNIA

☎ 213 155 016 ; www.heritage.pt ; Rua Rodrigues Sampaio 17, Liberdade ; M Marquês de Pombal, Avenida ;

Dans un bâtiment Art déco magnifiquement restauré, le Britania propose des chambres somptueuses avec un mobilier éclectique et dotées d'équipements dernier cri (connexion Wi-Fi…).Le bar chaleureux, dont le parquet associe deux teintes de bois, mérite à lui seul le détour. Le service, et le lieu – une ruelle paisible à l'angle de l'Avenida da Liberdade – garantissent un séjour reposant.

LISBOA REGENCY CHIADO

213 256 100 ; www.regency-hotels-resorts.com ; Rua Nova do Almada 114, Chiado ; M Baixa-Chiado ; 28 ;

Cet hôtel élégant, installé dans l'Armazéns do Chiado, jouit du meilleur emplacement de la ville. Grandes chambres cossues, décorées de belles touches de couleur. Celles dites "supérieures", offrent des vues magnifiques. Au crépuscule, le bar dévoile un panorama plus séduisant encore.

CASA DE SÃO MAMEDE

213 963 166 ; www.casadesaomamede.com ; Rua da Escola Politécnica 159 ; M Rato ;

Cette ancienne et élégante résidence de magistrat, érigée en 1758, propose de belles chambres agrémentées de meuble d'époque et de très jolis murs carrelés. Elle est bien située, près de l'animation nocturne du Bairro Alto.

SOLAR DO CASTELO

218 806 050 ; www.heritage.pt ; Rua das Cozinhas 2, Castelo ; 28 ;

Dans cette bâtisse du XVIIIe siècle située dans l'enceinte extérieure du Castelo, se niche un hôtel charmant. Les chambres sont aménagées autour d'une jolie cour intérieure et d'un jardin. L'établissement a su préserver l'atmosphère médiévale tout en lui insufflant quelques touches contemporaines. Le cadre est original et très romantique.

CATÉGORIE MOYENNE

ALBERGARIA SENHORA DO MONTE

218 866 002 ; Calçada do Monte 39, Graça ; 28 ;

Cet hôtel proche du belvédère da Senhora do Monte – l'une des plus belles vues de Lisbonne – offre une retraite pleine de charme. Chambres simples et confortables. Pour profiter au mieux du panorama, choisissez-en une avec une immense terrasse. Pas d'accès Internet.

SÉ GUEST HOUSE

218 173 570 ; Rua São João de Praça 97, Alfama ; 28 ;

Au 1er étage d'une maison du XIXe siècle, cette charmante pension est remplie de bibelots originaux. Les doubles sont romantiques et certaines donnent sur la cathédrale. Les salles de bain sont d'une propreté irréprochable. Pas d'accès Internet.

DOM CARLOS LIBERTY

213 173 570 ; www.domcarlosliberty.com ; Rua Alexandre Herculano 13, Marquês de Pombal ; M Marquês de Pombal ;

Contemporain et élégant, cet hôtel se trouve près de la Baixa, aisément accessible à pied ou en métro. Chambres sobres, dans des tons fauves et blancs ; sdb rafraîchies et bien équipées.

HÔTEL JORGE V

☎ 213 562 525 ; www.hoteljorgev.com ; Rua Mouzinho da Silveira 3, Marquês de Pombal ; M Avenida, Marquês de Pombal ;

À deux pas de l'Avenida da Liberdade, ce petit hôtel confortable commence à laisser transparaître son âge. Les balcons privatifs, le bon petit-déjeuner et l'accueil du personnel en font toutefois l'une des adresses intéressantes de cette catégorie.

HÔTEL LISBOA TEJO

☎ 218 866 182 ; www.evidenciahoteis.com ; Poço do Borratém 4, Rossio ; M Rossio ;

Cet hôtel à l'architecture audacieuse, l'un des plus originaux de Lisbonne, se révèle remarquablement branché dans les espaces communs. Les chambres peuvent être bruyantes – surtout aux étages inférieurs –, le service au bar est de qualité variable et il vous faudra parfois attendre pour déguster le petit-déjeuner. L'emplacement et le design restent toutefois de grands atouts.

HÔTEL MIRAPARQUE

☎ 213 524 286 ; www.miraparque.com ; Avenida Sidónio Pais 12, Marquês de Pombal ; M Marquês de Pombal ;

En dépit de sa modestie, cet hôtel traditionnel donnant sur le parc Eduardo VII – les étages supérieurs offrent les meilleurs panoramas – demeure une formidable base pour visiter la ville. À deux ou trois stations de métro seulement de l'arrêt Baixa-Chiado.

OLISSIPO CASTELO

☎ 218 820 190 ; www.olissipohotels.com ; Rua Casa do Castelo 112-126, Castelo ; 28 ;

Les vues spectaculaires sur Lisbonne – surtout depuis les 2e et 3e étages, dotés de balcons – constituent le point fort de cet hôtel moderne situé au pied du château, et compensent le caractère ordinaire de la décoration.

VIP EDEN

☎ 213 216 600 ; www.viphotels.com ; Praça dos Restauradores 24, Restauradores ; M Restauradores ;

Derrière la somptueuse façade Art déco de cet ancien cinéma, se cache un "appart-hôtel" doté de studios (1-2 pers) et d'appartements (jusqu'à 4 pers) anonymes. Chambres bien équipées, pratiques pour les longs séjours. Excellent emplacement et superbe panorama depuis le toit, qui compte un bar et une piscine.

SOLAR DOS MOUROS

☎ 218 854 940 ; www.solardosmouros.pt ; Rua do Milagre de Santo António 4, Alfama ; 28 ;

Les huit chambres élégantes de cet hôtel allient un décor éclectique, de peintures abstraites – qui sont souvent l'œuvre du propriétaire Luís Lemos – et de belles vues sur le fleuve et le château. Une adresse romantique, idéale pour les amateurs d'art. Service personnalisé et bon petit-déjeuner.

YORK HOUSE

☎ 213 962 435 ; www.yorkhouselisboa.com ; Rua das Janelas Verdes 32, Lapa ; 15 ; 27 ;

Havre de paix niché sous la verdure, cet ancien couvent (XVIIe siècle) renferme des chambres pleines de charme, modernes ou classiques. Le restaurant prépare de savoureux repas et les tables dans la cour, où perce le soleil, sont idéales pour se détendre avec un peu de lecture.

PETITS BUDGETS

HÔTEL ASTORIA

☎ 213 861 317 ; www.evidenciahoteis.com ; Rua Braamcamp 10, Marquês de Pombal ; M Marquês de Pombal ;

Si les chambres et le service désinvolte contrastent avec la jolie façade, cet hébergement propre, à deux stations de métro de Baixa-Chiado, reste néanmoins une adresse fiable. Chambres simples et impeccables ; draps convenables. Petit-déjeuner toujours frais, bien que sommaire. Pas d'accès Internet.

PENSÃO LONDRES

☎ 213 462 203 ; www.pensaolondres.com.pt ; Rua Dom Pedro V 53, Bairro Alto ; M Baixa-Chiado ; 28 ;

Mieux vaut réserver longtemps à l'avance pour obtenir une chambre avec vue à l'un des étages supérieurs de cette pension. Le panorama est ici au meilleur prix, tout près de la vie nocturne du Bairro Alto. Chambres avec ou sans sdb.

PENSÃO NINHO DAS ÁGUIAS

☎ 218 854 070 ; Rua Costa do Castelo 74, Castelo ; 28

La vue, superbe depuis certaines chambres, constitue le véritable atout de cette petite pension située juste en contrebas du château. Chambres convenables, parfois assorties d'une sdb commune. Pas d'accès Internet.

PENSÃO PRAÇA DA FIGUEIRA

☎ 213 426 757 ; rrcoelho@clix.pt ; 3e étage, Travessa Nova de São Domingos 9, Rossio ; M Rossio ; 15 ;

Propre, claire et bien tenue, cette pension affiche un excellent rapport qualité/prix. Les chambres, suffisamment spacieuses, donnent pour certaines sur une place. Cuisine commune avec réfrigérateur. Personnel accueillant et serviable. Pas d'accès Internet.

ANJO AZUL

☎ 213 478 069 ; www.anjoazul.com ; Rua da Luz Soriano 75, Barrio Alto ; M Baixa-Chiado ;

Cet établissement offre des chambres propres et modernes décorées de couleurs vives, agrémentées de quelques peintures érotiques sur les murs. L'Anjo Azul accueille volontier les homosexuels et attire une clientèle très variée de voyageurs.

RESIDENCIAL DUAS NAÇÕS

☎ 213 460 710 ; fax 213 470 206 ; Rua da Vitória 41, Barrio Alto ; M Baixa-Chiado ; 28

Cette demeure du XIXe siècle à l'angle de la Rua Augusta aurait bien pu devenir un hôtel de luxe. Ce n'est pas le cas… pour le plus grand bonheur des voyageurs à petit budget ! Préférez les étages supérieurs, à l'opposé de la Rua Augusta, les accordéonistes ne se montrant pas toujours talentueux. Pas d'accès Internet.

CARNET PRATIQUE

TRANSPORTS

DEPUIS/VERS LISBONNE

AVION

L'ultramoderne **Aeroporto de Lisboa** (aéroport de Lisbonne ; ☎ 218 413 500 ; www.ana.pt) est situé à 7 km au nord de la capitale. Les vols internationaux atterrissent au terminal 1, les vols intérieurs au terminal 2 ; une navette gratuite relie les deux. On trouve sur place un bureau de change 24h/24, une agence de location de voitures, des DAB, une consigne et un kiosque vendant la presse internationale. Le vol Paris-Lisbonne dure environ 2 heures 30. Il n'y a pas de vol direct entre le Canada et le Portugal.

Air France (☎ 36 54, 0,34 €/min ; www.airfrance.fr) propose plusieurs vols quotidiens Paris-Lisbonne. Il y a des vols directs pour Lisbonne depuis Bordeaux, Lyon, Marseille, Nice et Toulouse. **Tap Portugal** (☎ Paris 0820 319 320 ;www.tap.pt) assure des vols directs depuis Paris, Bruxelles, Genève et Zurich. **Easyjet** (☎ www.easyjet.com) assure un Paris-Lisbonne quotidien. Le coût d'un aller-retour Paris-Lisbonne oscille entre 150 € et 500 € selon les périodes.

Depuis/vers l'aéroport

	Taxi	Bus : AeroBus 91	Bus : 44, 45, 43
Point de départ	À l'extérieur des arrivées	À l'extérieur des arrivées	À l'extérieur des arrivées
Arrêt	À votre convenance	Notamment Marquês de Pombal, Avenida da Liberdade, Rossio, Praça do Comércio	Notamment Praça dos Restauradores, Cais do Sodré, Amoreiras
Durée	Pour le centre, 20 minutes (30 aux heures de pointe)	Pour le centre, 25 minutes (35 aux heures de pointe)	Pour le centre 35 minutes (45 aux heures de pointe)
Prix	Pour le centre, 10-12 €	3,35 € carte 1 jour	1,35 € aller simple
Autres	1,60 € pour les bagages	Pas de service de 20h15 à 7h45 tlj ; sinon, circule toutes les 20 minutes. Billet valable toute la journée dans les bus et les trams Carris	Pas de service de 21h30 à 7h tlj ; sinon, circule toutes les 10-15 minutes. Évitez les heures de pointe si vous avez beaucoup de bagages
Contactez le	☎ 218 444 050 pour réserver un taxi	www.carris.pt	www.carris.pt

BUS

La compagnie **Eurolines** (☎ 0892 899 091 ; www.eurolines.com) propose depuis Paris 1 départ quotidien pour Lisbonne (24 heures). Comptez environ 150 € pour l'aller-retour.

Sur place, les longs trajets vers l'Europe sont assurés par l'agence lisboète **Intercentro** (☎ 213 547 134 ; rua Engenheiro Vieira Silva 55 Lisbonne) ; et **Eva Transportes** (☎ 289 899 700 ; www.eva-bus.com).

TRAIN

Les trains, confortables, nombreux et généralement à l'heure, sont un moyen agréable de voyager. Renseignez-vous auprès de la compagnie ferroviaire de votre pays de départ. Voir l'encadré ci-dessous.

SNCF (☎ 36 35 ; www.voyages-sncf.com)
SNCB (☎ 02 258 28 28 ; www.b-rail.be)
CFF (☎ www.cff.ch)

VISAS

Les ressortissants de l'UE et de la Suisse doivent être munis de leur carte d'identité nationale ou d'un passeport valide. Sans visa, les Canadiens ont droit à 90 jours par période de six mois. Tous les autres voyageurs doivent demander un visa (sauf les époux et enfants des citoyens de l'UE).

COMMENT CIRCULER

Les rues piétonnes, les ruelles tortueuses et les *miradouros* (belvédères) sont propices à d'agréables balades dans des quartiers comme l'Alfama, le Bairro Alto et la Baixa. À l'exception du métro, le réseau de transports publics, peu coûteux et efficace, est géré par **Carris** (www.carris.pt). Nous indiquons après tous les lieux cités dans ce guide la station de métro (M), de bus (🚌) et de tramway (🚋) la plus proche.

TITRES DE TRANSPORT

Très économique, la carte d'une journée (3,70 €) offre des trajets illimités dans tous les transports publics, y compris le métro, jusqu'à minuit. On la trouve dans les stations de métro. Pour 50 ¢, vous pouvez

TRANSPORTS ÉCOLOGIQUES

À l'ère des transporteurs low cost, rien de plus facile que de réserver un vol, mais pourquoi ne pas privilégier un mode de transport plus écologique que l'avion, rapide, certes, mais polluant ? Les trains, bien que plus lents, permettent de profiter du voyage et de préserver l'environnement. En partant de Paris, par exemple, prenez le TGV pour Irun (à la frontière espagnole), puis montez dans le train de nuit Sud Express pour arriver à Lisbonne à temps pour un petit-déjeuner tardif. Vous pouvez aussi rejoindre Madrid, passer une journée à explorer la capitale espagnole, puis prendre un train de nuit pour Lisbonne.

TRAFIC AÉRIEN ET CHANGEMENTS CLIMATIQUES

Les voyages et notamment la circulation aérienne contribuent pour une large part aux changements climatiques. Chez Lonely Planet, nous pensons qu'il incombe à chaque voyageur de limiter son impact sur l'environnement. C'est pourquoi, en association avec d'autres partenaires de l'industrie touristique, nous soutenons les actions de Climate Care, qui utilise des compteurs de carbone permettant aux voyageurs de compenser le niveau de gaz à effet de serre dont ils sont responsables par une contribution financière à des projets visant à réduire le réchauffement de la planète dans des pays en voie de développement. Lonely Planet compense tous les voyages de son personnel et de ses auteurs.

Pour plus de renseignements, consultez www.lonelyplanet.fr et www.climatecare.org.

acheter une carte magnétique rechargeable 7 Colinas.

MÉTRO

L'étincelant métro (☎ 213 500 115 ; www.metrolisboa.pt) comprend quatre lignes (bleue, jaune, rouge et verte) qui ne couvrent pas toute la ville, mais permettent de rejoindre rapidement le Parque das Nações, Marquês de Pombal, le Rato et Saldanha. Il fonctionne tous les jours de 6h30 à 1h. Un aller simple/aller-retour pour 1 ou 2 zones coûte 1,25/1,90 € ou 1,55/2,45 €. Un carnet de dix tickets revient à 7,40 € pour une zone, 10,35 € pour deux.

TRAMWAY

Les trams jaune vif (*eléctricos*) desservent cinq lignes (12, 15, 18, 25 et 28). Achetez un ticket à bord (1,35 €) et validez-le dans la machine placée près du chauffeur. Les principales lignes sont la n°28 (p. 15), qui dessert les grands sites touristiques, et la n°15, qui va de la Praça da Figueira à Belém ; la première fonctionne toutes les 15 minutes de 6h à 23h, la seconde de 5h45 à 1h15. La fréquence diminue le samedi.

BUS

Il existe 88 bus (*autocarros*), dont huit services de nuit. Le ticket coûte 1,35 € et peut s'acheter auprès du chauffeur. Les itinéraires et les horaires sont indiqués aux arrêts. En journée, les horaires sont variables, mais les bus de nuit circulent de 23h45 à 5h30. Les lignes les plus pratiques comprennent la n°1 (de Cais do Sodré à Charneca via Baixa et Avenida da Liberdade), la n°27 (de Marquês de Pombal à Belém via Estrela, Lapa et Doca de Alcântara) et la ligne de nuit n°201 (de Cais do Sodré à Belém via Doca de Alcântara).

FUNICULAIRE

Lancés à l'assaut des collines, les pittoresques funiculaires (*elevadores*) sont parfaits pour les jambes fatiguées (1,35 €). Le plus fréquenté et le plus escarpé est l'Elevador da Bica (p. 37).

TAXI

Les nombreux taxis peuvent se réserver par téléphone, se héler dans la rue – s'ils s'arrêtent – ou se prendre à l'extérieur des gares. En journée, la prise en charge inscrite au compteur devrait être de 2,50 €. Comptez 1,60 € pour les bagages et 20% supplémentaires entre 21h et 6h. Pour réserver un taxi, appelez **Rádio Táxis** (☎ 218 119 000) **Télétaxi** (☎ 218 111 100)

TRAIN

Les trains longue distance gérés par Comboios de Portugal (CP) partent de **Santa Apolónia** (carte p. 66-67 F3 ; ☎ 808 208 208 ; www.cp.pt). Pour Sintra (p. 124), le train part toutes les 20 minutes de l'Estação do Rossio (carte p. 53, B2), met 40 minutes et coûte 1,70 €. Depuis Cais do Sodré (carte p. 38-39,D7), la liaison pour Cascais via Estoril (p. 126) est assurée toutes les 20 minutes : prévoyez 40 minutes et 1,70 €.

RENSEIGNEMENTS

ARGENT

Si Lisbonne est en train de rattraper les autres capitales européennes, la vie y reste encore assez bon marché. Prévoyez entre 80 et 120 € par personne et par jour si vous visez les hôtels trois-étoiles et les restaurants de catégorie moyenne. Les amateurs de grand luxe peuvent facilement doubler ces chiffres, tandis que les voyageurs à petit budget s'en sortiront pour 40 €. Notez que beaucoup de *churrasqueiras* (grills) proposent au déjeuner des menus d'un excellent rapport qualité/prix.

Les principales cartes de crédit sont acceptées par Les DAB (*multibancos*), et sont la meilleure solution pour accéder à votre argent. Beaucoup de boutiques, de bistros et même de *pensões* (pensions) ne prennent que les espèces. Pour connaître le taux de change, voyez *Bon à savoir* au verso de la page de couverture.

CIRCUITS ORGANISÉS

PROMENADES À PIED

Lisbon Walker (carte p. 53, C5 ; ☎ 218 861 840 ; www.lisbonwalker.com ; Rua dos Remédios 84 ; circuit de 3 heures adulte/moins de 12 ans/moins de 26 ans 15 €/gratuit/10 € ; ⏲ 10h et 14h30). Visites en anlgais. Circuits à thème partant de l'angle nord-est de la Praça do Comércio.

CIRCUITS SPÉCIALISÉS

Transtejo (carte p. 53, D6 ; ☎ 218 824 671 ; www.transtejo.pt ; terminal du ferry Terreiro do Paço ; adulte/enfant 20/10 € ; ⏲ 15h avril-oct). Croisières de deux heures et demie sur le Tage pour découvrir les différents sites touristiques. Commentaire multilingue.

Sidecar Touring (☎ 963 965 105 ; www.sidecartouring.co.pt). Ces insolites excursions en side-car permettent de découvrir Sintra ou de franchir le Ponte 25 de Abril la nuit. Prix et horaires variables.

Naturway (☎ 213 918 090 ; www.naturway.pt ; 50 € ; 8h30). Circuits en 4x4 sur la côte et dans la campagne. Les sorties d'une journée comprennent Sintra et Arrábida. On vient vous chercher et on vous dépose à votre hôtel.

ÉLECTRICITÉ

Le voltage est de 220 V et 50 Hz. Les prises sont à deux fiches, comme en Europe continentale.

HANDICAPÉS

L'accueil des voyageurs handicapés ne cesse de s'améliorer, mais les ruelles pavées et escarpées de l'Alfama, de Graça et du Bairro Alto restent difficilement praticables en fauteuil roulant. Le Parque das Nações, la Baixa et Belém sont plus accessibles.

Plusieurs stations de métro possèdent des ascenseurs, ainsi que des distributeurs de tickets adaptés aux malvoyants et malentendants ; la liste complète se trouve sur www.metrolisboa.pt. **Carris** (☎ 213 613 141 ; www.carris.pt) propose un service de bus de porte à porte qui fonctionne de 6h30 à 22h du lundi au vendredi et de 8h à 13h le week-end, en appelant 48 heures à l'avance (certificat médical obligatoire).

L'aéroport est accessible en fauteuil roulant.

Accessible Portugal (☎ 919 195 680 ; www.accessibleportugal.com). Circuits touristiques, excursions à thème et location de matériel.

HEURES D'OUVERTURE

La plupart des magasins ouvrent de 9h30 à 19h en semaine et jusqu'à 13h le samedi. Les boutiques du Bairro Alto sont ouvertes de 14h environ à 22h ou minuit. Les centres commerciaux et les grands magasins ouvrent généralement de 10h à 23h. La quasi-totalité des commerces ferment le dimanche.

Les services publics fonctionnent du lundi au vendredi de 9h à 12h et de 14h à 17h, les banques de 8h30 à 15h. Les restaurants servent le déjeuner de 12h à 15h et le dîner de 19h à 23h. Pour manger à une heure plus tardive, essayez le Bairro Alto. Les musées ouvrent généralement de 10h à 18h et sont fermés le lundi.

Pour plus d'informations, voyez *Bon à savoir* au verso de la page de couverture.

INTERNET

Beaucoup de cafés et d'hôtels offrent à leurs clients un accès Wi-Fi gratuit. Il existe aussi de nombreux cybercafés dans le Bairro Alto et Rossio, notamment certains, peu coûteux, autour du Largo de São Domingos (carte p. 53, B2), qui facturent 1-1,50 €/h. Si vous n'utilisez pas la totalité de votre temps, conservez votre ticket pour vous reconnecter ultérieurement. Le Parque das Nações est un point d'accès Wi-Fi ; les autres sont indiqués sur www.jiwire.com ou www.hotspot-locations.com. Quelques sites web pratiques pour préparer votre séjour :

Ask Me Lisboa (www.askmelisboa.com). Site multilingue, informations sur les cartes de réduction.

Câmara Municipal de Lisboa (www.cm-lisboa.pt/turismo). Site officiel de la ville, renseignements sur les manifestations à venir.

Go Lisbon (www.golisbon.com). Riche d'informations sur les sites et monuments, les restaurants, la vie nocturne et les sorties.

Guia da Noite (www.guiadanoite.com). Adresses pour sortir le soir.

Lisboa Brighter Place (http://lisboa.brighterplace.com). Site amusant qui recense les bars et discothèques pour étudiants.

Tourisme de Lisbonne (www.visitlisboa.com). Très complet, couvre aussi bien les monuments touristiques incontournables que les transports et les hébergements.

Lonely Planet (www.lonelyplanet.fr) Informations, liens et conseils.

Time Out Lisboa (http://timeout.sapo.pt). Concerts, événements culturels et commentaires intéressants (en portugais).

Visit Portugal (www.visitportugal.com). Site officiel de l'office du tourisme portugais, présente les monuments, des renseignements pratiques et les sorties.

JOURNAUX

Il existe plusieurs quotidiens à Lisbonne, dont le stimulant *Público* (www.publico.clix.pt), le *Diário de Notícias* (http://dn.sapo.pt), orienté à gauche, le *Jornal de Notícias* (http://jn.sapo.pt) , un quotidien d'informations locales, et le *Diario Económico* (http://diarioeconomico.com). Les Lisboètes en quête de scandales lisent *24 Horas* (www.24horasnewspaper.com), tandis que les amateurs de foot achètent *Bola* (www.abola.pt). Les journaux gratuits *Metro*, *Global* et *Meia Hora* sont distribués dans le métro en semaine.

JOURS FÉRIÉS

Nouvel An (Dia do Ano Novo) 1er janvier

Mardi gras (Terça-Feira Gorda) février/mars

Vendredi saint (Sexta-Feira Santa) mars/avril

Lundi de Pâques (Segunda-Feira da Páscoa) mars/avril

Fête de la Liberté (Dia da Liberdade) 25 avril

Fête du Travail (Dia do Trabalhador) 1er mai

Corpus Christi (Corpo de Deus) mai/juin

Fête nationale (Dia de Camões) 10 juin

Fête de saint Antoine (Festa de Santo António) 13 juin

Assomption (Dia da Assunção) 15 août

Fête de la République (Dia de República) 5 octobre

Toussaint (Dia de Todos-os-Santos) 1er novembre

Jour de l'Indépendance (Dia da Restauração) 1er décembre

Immaculée Conception (Imaculada Conceição) 8 décembre

Noël (Dia de Natal) 25 décembre

LANGUE

EXPRESSIONS COURANTES

Bonjour.	*Bom dia.*
Salut.	*Olá.*
Bon après-midi.	*Boa tarde.*
Bonsoir/bonne nuit.	*Boa noite.*
Au revoir.	*Adeus.*
Excusez-moi/pardon.	*Desculpe.*
À plus tard.	*Até logo.*
Comment allez-vous ?	*Como está?*
Bien, et vous ?	*Tudo bem, e tu?*
Oui.	*Sim.*
Non.	*Não.*
S'il vous plaît.	*Faz favor.*
Merci (beaucoup).	*(Muito) obrigado/a.* (m/f)
De rien.	*De nada.*
Je (ne) comprends (pas).	*(Não) entendo.*
Combien ça coûte ?	*Quanto é?*
C'est trop cher.	*É muito caro.*

SE RESTAURER

Je suis végétarien (ne).	*Sou vegetariano/a.* (m/f)
L'addition, s'il vous plaît.	*A conta se faz favor.*
Puis-je voir la carte, s'il vous plaît ?	*Posso ver o menu, por favor?*
Puis-je voir la carte des vins, s'il vous plaît ?	*Posso ver a carta de vinhos, por favor?*
Une table pour…, s'il vous plaît.	*Uma mesa para…, se faz favor.*

OFFICES DU TOURISME

Lisbon Welcome Centre (Carte p. 53, C5 ; ☎ 210 312 810 ; www.visitlisboa.com ; Praça do Comércio ; 🕑 9h-20h). Principale annexe de Turismo de Lisboa. Plans gratuits de la ville, brochures, réservations d'hôtels et d'excursions. Vend la Lisboa Card.

Ask Me Lisboa Rua Augusta (carte p. 53, C4 ; ☎ 213 259 131; 🕑 10h-13h et 14h-18h) ; Santa Apolónia (carte p. 66-67,G3 ; ☎ 218 821 606 ; dans la gare ; 🕑 8h-13h mer-sam) ; Largo dos Jerónimos (carte p. 79, C3 ; ☎ 213 658 435 ; 🕑 10h-13h et 14h-18h mar-sam) ; Palácio Foz (carte p. 53,A2 ; Praça dos Restauradores ; ☎ 213 463 314 ; 🕑 9h-20h) ; aéroport de Lisbonne (☎ 218 450 660 ; Arrivées ; 🕑 7h-minuit). Turismo de Lisboa gère plusieurs kiosques d'informations très utiles.

POURBOIRE

Le service (*serviço*) est généralement inclus au restaurant et dans les taxis, mais si vous êtes satisfait, laissez un pourboire de 10%. Au restaurant, on vous servira automatiquement un panier contenant du pain, du beurre et du pâté, facturés à l'unité. Si vous n'en voulez pas, dites-le. Donnez aux porteurs environ 1 € par bagage.

TARIFS RÉDUITS

Si vous prévoyez de faire du tourisme intensif, la **Lisboa Card** (24/48/72 heures adulte 15/26/32 €, moins de 11 ans 8/13/16 €), d'un excellent rapport qualité/prix, offre un accès illimité aux transports publics (y compris vers Sintra et Cascais), l'entrée dans tous les grands musées et monuments et jusqu'à 50% de réduction sur les circuits organisés. Elle s'achète dans les offices de tourisme Ask Me Lisboa, notamment à l'aéroport.

De nombreux musées proposent 50% de réduction aux seniors et aux étudiants et sont gratuits pour les moins de 6 ans. L'entrée est souvent gratuite le dimanche matin, une aubaine pour les voyageurs à petit budget.

TÉLÉPHONE

Le Portugal utilise le réseau GSM 900/1800, compatible avec le reste de l'Europe. La plupart des cabines téléphoniques fonctionnent avec une carte de 3, 6 ou 9 €, vendue dans les kiosques et chez les marchands de journaux. Pour les appels longue distance et internationaux, optez plutôt pour les centres téléphoniques/cybercafés du Largo de São Domingos (carte p. 53, B2).

INDICATIFS

L'indicatif du Portugal est le ☎ 351, celui de Lisbonne le ☎ 21. Pour appeler l'étranger depuis le Portugal, composez le ☎ 00 avant l'indicatif du pays.

NUMÉROS UTILES

Renseignements internationaux (☎ 177)
Renseignements nationaux (☎ 118)

URGENCES

Dans l'ensemble, Lisbonne est une ville sûre, mais on risque de vous proposer du haschich et des marchandises d'origine douteuse dans le Bairro Alto et la Baixa : éloignez les vendeurs d'un "non" ferme et poli. Attention à votre portefeuille dans les lieux touristiques, surtout la Rua Augusta et le tram n°28.

On peut se promener sans danger dans les grandes rues la nuit, mais soyez vigilant vers les stations de métro Anjos, Martim Moniz et Intendente, où on a signalé des agressions. Restez aussi sur vos gardes dans les ruelles obscures de l'Alfama et de Graça. Numéros de téléphone d'urgence :
Ambulances, pompiers, police (☎ 112)
Renseignements pharmaceutiques 24h/24 (☎ 118)
Police touristique 24h/24 (☎ 213 421 634)

V

NOTES

>INDEX

Consultez aussi les index Voir *(p. 173)*, Shopping *(p. 174)*, Se restaurer *(p. 174)*, Prendre un verre *(p. 175)*, Sortir *(p. 175) et* Se loger *(p. 176)*.

Pages des cartes en **gras**

VOIR

SHOPPING

Cadeaux et souvenirs

Céramique

Design

Épiceries fines

Grands magasins et centres commerciaux

Livres

Marchés

Mode et accessoires

Musique

Vins

SE RESTAURER

Cafés

Cuisine fusion

Cuisine internationale

Cuisine méditerranéenne

Cuisine portugaise